La Mariposa De Un Ala

Un Libro Para Las Familias De Adictos Que Trae A La Luz
El Mundo Obscuro De La Adicción Y la Historia De Como El
Amor, La Oración, ¡Y El Perdón Salvaron Mi Vida!

Por Rubén Matos

WMS PRESS
Andover, MA

Diseñado por WMS PRESS
Foto del autor: Angel Mejía Photography
Fabricado en los Estados Unidos de América.

Para cualquier información de pedido o descuentos especiales para compras al por mayor por favor contáctenos @ rmchanguiri@gmail.com

Publicado en los Estados Unidos por WMS PRESS

ISBN # 978-1-7323425-9-0

TABLE OF CONTENTS

PARA MI MADRE: BLANCA OLIVERAS

En tu vientre fui formado,
Cerca de tu corazón,
Con latidos de emoción,
día y noche fui mimado,
Y mas tarde amamantado,
Me distes la nutrición
y otra vez tu corazón,
pude sentir a mi lado,
no imagino cuanto agrado,
sentías cuando me mirabas,
y mi frente tu besabas,
pues tu hijo había llegado.

Y nunca podre olvidar,
los primeros cinco años,
que, con besos y regaños,
me tratabas de enseñar,
me hablastes del bienestar,
de uno ser un buen cristiano,
y que Dios es soberano,
me enseñastes madre mía,
no sabes lo que daría,
por besar tus tiernas manos.

Mientras me desarrollaba,
nunca falto tu atención,
ni aquella hermosa canción,
que día a día entonabas,

En las olas inmensas,...
En la cruz en la cruz ....
Amigo no lo pienses mas,...
Ya que as puesto la mano en el arado,...
Constantemente cantabas,

mientras allá en la cocina,
preparabas golosinas,
que con amor me brindabas,
turrón, jalea de guayaba,
tortitas y otras riquezas,
pero tu mayor grandeza,
era la fe que tenias,
que con Cristo cenarías,
algún día en su gran mesa.

Luego con mi pubertad,
me empape de rebelión,
me convertí en un león,
una fiera sin piedad,
pero con tu fiel lealtad,
no perdistes la esperanza,
y entre canticos y danzas,
seguías pidiendo a Jesús,
con fervor con ímpetu,
pues yo era tu añoranza,

Fueron pasando los días,
los meses se hicieron años,
y me hice un ermitaño,
que robaba tu alegría,
las lagrimas que vertías,
las use para mezclarme,
la droga que, al inyectarme,
Pensé que me liberaba,
pero mas me encadenaba,
y ni cuenta podía darme,

Yo me encontraba perdido,
tu te mantenías orando,
yo en el mundo caminando,
y tu con Jesús de abrigo,
jamás hubiera creído,
que, a través de tu oración,

llegaría la intervención,
que me tendría en este día,
recordando madre mía,
y pidiéndote perdón.

Hoy te digo madre mía,
en este mi humilde verso,
no soy el hombre perverso,
de aquellos antaños días,
si me vieras sonreirías,
llena de felicidad,
pues me dio la libertad,
aquel Jesús que me hablabas,
aquel al que tu rogabas,
a tu hijo trajo paz.

En este y todos los días,
por ese hermoso legado,
que a sido el mejor regalo,
te doy gracias, madre mía,
hoy me llena de alegría,
rendirte a ti este homenaje,
te veo en cada paisaje,
te llevo en el corazón,
y hoy cantare una canción,
porque tengo tu linaje!

Bendición mami......tu hijo Rubén Matos.

PRIMEROS RECUERDOS

CORRÍA EL AÑO 1963 y aunque nací en el 1956 no tengo recolección de los años anteriores. Nací en las montañas del centro de Puerto Rico en un pequeño pueblo llamado Jayuya. Rodeado por bellas montañas y atravesado por un hermoso río, el cual a su vez era alimentado por un sin número de riachuelos. Lo remoto de su localización me permitía estar constantemente en contacto con la naturaleza. Mi madre Blanca y mi padre Manuel fueron mis progenitores. El 1963 es el año en que considero despertó mi conciencia. El primer recuerdo que tengo es de ese año. Vivíamos en una casa enorme, por lo menos así parecía a mi tierna edad, todo era gigante para mí en aquellos días. Mi madre no creo contaba con 5 pies de estatura, más aún así la miraba muy grande, mi padre tal vez contaba con 5 pies 5 pulgadas de estatura y éste sí... Ese sí era un gigante. Sus manos parecían que podían sostener el mundo en ellas. Siempre deseé perderme en las manos de mi padre, pero no podía porque él siempre se las llevaba muy lejos a trabajar. Mis primeras memorias son con mi madre. En una ocasión mientras entraba en lo que me parecía una gigantesca cocina, tuve lo que considero fue la primera memoria de mi vida. No recuerdo de dónde venía, sólo sé que entraba a la cocina donde según fueron pasando los años casi siempre encontraría a mi madre. Ese día quedó marcado en mi corazón hasta este tiempo en que relato la historia. Mientras me acercaba a ella pude notar que algo no andaba bien, ella estaba de espaldas a mí pero aún así, sentía que podía ver su rostro. Supongo que lo que me hacía sentir así, era que mi madre nunca estaba en silencio como en aquel día. Si ella se comportaba como se comportó a través de los años después de este evento, entonces algo andaba muy mal. ¿Por qué? Porque mi madre siempre cantaba, mi madre era diminuta en estatura, pero sus cuerdas vocales y el amor que tenía por Jesús eran gigantes. Ella siempre entonaba alabanzas a Dios y de una manera que todo el barrio la escuchaba.

CAPITULO 1

Un día la vida nos preguntará.... ¿qué hiciste conmigo?
¡Mejor que tengamos una buena respuesta!

Rubéns 1:61

"TODO TIENE UN propósito en la vida". Si tuviera un dólar por cada una de las veces que escuché este dicho, tal vez fuera millonario. Siempre que escuchaba a alguien decir esto, me preguntaba, ¿cómo es posible que este concepto pueda ser verídico? Cuando trataba de aplicar este concepto a mi vida, me cuestionaba, ¿cómo es posible que naufragar en un mundo de adición por veintitrés años, pueda tener algún propósito en la vida de alguien?

Más aquel día la gran cocina de mi madre estaba en silencio, toda la casa estaba en silencio... el barrio entero estaba silencioso, sus cuerdas vocales no se escuchaban. Era como si el mundo hubiese enmudecido. Aquella tarde el Sol brillaba afuera, en días así la gran cocina se llenaba de luz por el número de ventanas que tenía. Más ese día todo aquel silencio me hizo notar aquel espacio más oscuro de lo normal. Era como si el Sol temiera filtrar sus rayos a través de las ventanas, para así no tener que ver el estado acongojado en que se encontraba mi madre. Me pareció que aún las aves que adornaban los árboles cerca de nuestra casa, tal vez sintiendo su dolor, también habían dejado de trinar en aquel momento.

Creo que los cánticos de mi madre eran los que atraían la luz a la cocina, pero no era así aquel día, su silencio parecía opacar aquel espacio. Ella estaba parada frente al refrigerador y allí sobre la nevera estaba un radio. Éste era un regalo que había llegado de muy lejos, enviado a ella por uno de mis hermanos mayores que vivía en Estados Unidos. Aquel era su radio, una de las pocas preciadas posesiones de mi madre.

Y allí me encontraba parado, ella no se había percatado de mi presencia, era como si el tiempo se hubiese detenido. Sentía como si mi madre tuviera que cantar para que el tiempo se pusiera de nuevo en marcha. No me atreví a acercarme a ella. En ese momento escuché un gemido, un sollozo, un quejido... un sonido que nunca había escuchado salir de mi madre, un sonido que por instinto supe que salía de su corazón, y que algo lo había desgarrado.

El gemido de mi madre me acompañó toda la vida. No sé cuánto tiempo estuve allí, pero me pareció una eternidad. Me di cuenta mucho más tarde en la vida, la necesidad que tuvo mi madre en aquel momento, de alguien que la tomara en sus brazos, la sostuviera en ellos tiernamente, besara sus lágrimas y le dijera, "todo estará bien."

Una de las pocas cosas que supe acerca de mi madre, fue que ella y otra hermanita quedaron huérfanas cuando eran muy pequeñas. Según se me informó, la gente del barrio donde ellas vivían se hicieron cargo de ellas, un tiempo vivían con una familia y otro tiempo con otra, hasta que se hicieron adultas y se casaron. Estoy seguro de que aquellos eventos en su niñez tuvieron que ver mucho con la formación de su carácter. Los recuerdos de ella traen a mi mente el retrato de una mujer dócil y amada por todos en el vecindario. Hoy meditando más profundamente, puedo ver que detrás de toda aquella docilidad, había una mujer que también había sido maltratada por la vida, una mujer que no recibió una estructura familiar sólida y que esto le afectaba, aunque muchos no lo podíamos percibir en aquel entonces.

Hoy miro atrás y puedo notar que ella estaba haciendo lo que podía para criarnos, pero en lo que a cariño se trataba, tal vez porque no tuvo la oportunidad de experimentar el verdadero amor de una madre en su niñez, ella no era una mujer muy cariñosa, aunque sí dócil y eso le era atractivo a la gente. Ella siempre compartió el amor que tenía por Jesús con todos los que encontraba en su camino, también era una mujer que ayudaba a los vecinos cuando ellos lo necesitaban.

Fueron muchas las ocasiones cuando alguien llegaba en busca de un poco de azúcar, harina, tal vez un poco de café... casi siempre quien llegaba era el hijo de una familia de muy pocos recursos y que, por su condición económica, en ocasiones tenían escasez de una u otra cosa. Mi madre nunca titubeó para ayudar, si teníamos lo que ellos necesitaban, era seguro que el niño regresaría a su casa con algo en su mano. Ella era muy generosa, tanto así que recuerdo en ocasiones cuando le enviaba a algún vecino la última taza de azúcar o el último vaso de leche.

Fueron muchas las veces en que me resentía con estos vecinos, cuando alguno de sus niños, muy temprano un sábado en la mañana se presentaba a la casa con un pote de metal que en alguna ocasión contuvo salsa de tomate o cualquier otra cosa, pero que ahora servía como un vaso, y en él se llevaba el último poco de azúcar, y para cuando me levantaba, ya no había azúcar para mi avena. A esta edad no podía entender porque ella era como era. Ella era muy cariñosa con todos, más era algo frígida cuando se trataba de expresar su calor hacia mí.

Y allí estábamos...mi madre, el radio, las ventanas...El Sol que no se atrevía filtrar su luz por ellas, las aves enmudecidas afuera y yo. Creo que todos ellos podían sentir lo que yo sentía, todos estaban conscientes que en aquel día el único invitado en la cocina de mi madre era el dolor.

Lentamente ella fue volteando hacia mí, creo que sus instintos le avisaron que estaba presente. Cuando finalmente quedamos frente a frente me di cuenta de que aquel presentimiento era cierto, sus lágrimas corrían con tanta fuerza, que pensé harían surcos en sus suaves mejillas. Mi corazón se detuvo... se desconectaron de mi cerebro las cuerdas vocales, y en mi inocencia e incapacidad no podía darle consuelo en su momento de necesidad. Todos mis sentidos habían sido cancelados durante este tiempo, lo único que funcionaba eran mis ojos, los demás estaban en un estado catatónico.

Después de lo que pareció una eternidad, me di cuenta de que el radio, sintonizado en WKAQ, una estación radial de noticias comenzaba a transmitir. La voz que salía de sus bocinas dio respuesta a la pregunta sobre qué le pasaba a mi madre. El presidente de los Estados Unidos, John F Kennedy, acaba de ser asesinado; eso escuché a la voz de la radio decir, seguidamente volví a escuchar el quejido de mi madre. Aunque yo no entendía, ni sabía la gravedad de la noticia, ella sí lo entendía y era aquella noticia la que tenía su corazón hecho pedazos.

Aquella noticia paralizó todo en la gran casa... aquel fue un largo día. La noticia fue transmitida una y otra vez... y así mismo, una y otra vez volvía a romper su corazón. Creo que ella esperaba que en algún momento la noticia fuese corregida y que dijeran que era un error, que todo estaba bien con el presidente... más no fue así. No sé por cuánto tiempo el manto de luto cubrió el rostro de mi madre. No lo sabía entonces, pero esas no serían las últimas, ni las más amargas lágrimas de quien todos en el barrio conocían como a "Doña Blanca".

Eventualmente después de un tiempo se escuchaban de nuevo los cánticos de mi madre, los rayos del Sol volvieron a llenar la espaciosa cocina con su luz, de nuevo se escuchaba el cantar de las aves como acompañándola en sus alabanzas. En la radio se escuchaban los predicadores, que con sus prédicas las que hoy entiendo ayudaban a sanar sus heridas, en especial aquel predicador llamado Yiye Ávila.

Me enteré más tarde en la vida porque aquel Predicador en particular significaba tanto para ella. Según me contó, unos años antes cuando yo contaba con unos 3 años y sufriendo de un problema de salud por los parásitos que residían en mi cuerpo, y que me mantenían tan débil que aún a esa edad no podía caminar, en la mañana de un domingo cuando Yiye Ávila terminaba su programa radial: "La Voz De La Esperanza", ella me llevó cerca del radio y puso mi mano sobre él. El Predicador iba a orar por los enfermos.

Con su mano sobre la mía, se puso de acuerdo en oración con el predicador. Una vez terminada la oración, dijo que después de ponerme nuevamente en el piso, fui arrastrándome hasta que salí de la casa. Acercándome al tronco de un árbol de naranja me puse en posición y procedí a evacuar el parásito que residía dentro de mí, aquel causante de mi debilidad, y de sus penas al ver su hijo en aquel estado anímico. Doña Blanca una diminuta mujer, con una Fe gigantesca.

Fue esa fe, la que como ancla en una embarcación pudo ayudarla a mantener la calma en las fuertes tempestades que se aproximaban a su vida, y de las cuales sería yo el principal autor de muchas de ellas, tal vez de las más fuertes que ella pudo experimentar. Dice La palabra que la fe mueve montañas, en el caso de mi madre su fe en Jesús permitió que, aunque su montaña fuera azotada por grandes tempestades nunca pudiera ser movida. Posiblemente la experiencia de aquella oración aquel domingo en la mañana, ¡fue la que le catapultó a tener el grado de fe que demostró durante toda su vida! Más tarde en la vida me di cuenta de que la nave de mi madre tenía un ancla y, ¡esa ancla llevaba por nombre Jesús!

CAPITULO 2
DESTETÁNDOME

Nadie se considera malo por si mismo, por eso necesitamos
alguien que nos haga reconsiderar
Rubéns 1:56

LA VIDA ESTÁ llena de etapas, en cada una éstas te gradúas para comenzar la próxima. El problema surge cuando nos quedamos estancados en una de estas etapas. En lo personal creo que me quedé estancado en la etapa de niño por más de cuatro largas décadas. El Desarrollo de un niño o niña depende en gran parte de su círculo familiar. Es en el seno familiar donde somos equipados con la mayor parte de las herramientas que necesitaremos para poder funcionar de manera más estable, una vez llegamos a ser adultos; siempre y cuando en este seno familiar se desplace el amor que puede ser transmitido de muchas maneras.

Supongo, que una de las maneras en las que yo quería recibir ese amor, era perdiéndome en las manos de mi padre, y recibiendo algo más que solo alimento de las manos de mi madre. Parte de los vacíos que se formaron en mi corazón, los trataba de llenar más tarde cuando podía caminar por el barrio solo. Una de las casas que más visite durante mi niñez era la de Doña Santa.

Doña Santa era una señora muy dulce y creo que ese cariño me atraía a pasar el tiempo que más podía en su casa. Contando con casi 7 años me matricularon en la primaria, yo no estaba "Destetado". Estar fuera de la presencia de mi madre no me permitió adaptarme, y tuve que ser dado de baja, tendría que ser el próximo año. Cuando pude comenzar el primer grado y después de llorar por muchos días cuando me tenía que quedar allí, lo primero que noté era la diferencia que había entre los otros niños y yo. Físicamente hablando, todos me parecían más grandes incluyendo a la mayor parte de las niñas.

Esto empezó a crear en mí un gran sentimiento de inferioridad, que se magnificaba según fueron pasando los años. Esta condición afectaba mi rendimiento académico y la capacidad de socializar, en ambos campos mi avance era como mucho mediocre. Era como si no perteneciera a este planeta, donde todos eran más grandes, más fuertes, más rápidos corriendo o nadando, en fin, no me creía capaz de competir en nada con nadie, especialmente en lo que a estudios se refería.

"Teatro lo tuyo es puro teatro, falsedad bien ensayada, estudiado simulacro", éstas son parte de las líricas de una famosa canción interpretada por una artista cubana a quien llamaban "La Lupe", estas palabras podrían ser el título de mi vida, pues a temprana edad aprendí a actuar y disimular. Eran las únicas herramientas que aprendí a usar, para a duras penas no dejar saber a nadie todo el miedo que llevaba por dentro. Me ayudaban a esconder la ansiedad y todos aquellos defectos de carácter que como lava de volcán me quemaban por dentro y que tenía que mantener contenidos para que nadie pudiera notar todas mis inseguridades.

Si hubiese sido diagnosticado en aquel tiempo, como hacen con los niños hoy día, seguramente me hubiesen diagnosticado con defectos como "Deficiencia de Atención" y todos los otros con los que son diagnosticados muchos de los niños en este tiempo, en fin, hubiese encontrado en aquel niño una Ciénega de defectos.

Mi niñez siguió su curso y aprendí adaptarme a las situaciones. Me convertí en el mejor seguidor, todo el que encontraba en mi camino se convertía en mi líder, siempre se me hizo más fácil seguir que liderar. Como mencioné anteriormente, la mayor parte de nuestro comportamiento se deriva de lo que recibimos en el hogar. Es mi opinión que los varones recibimos gran parte de nuestro carácter de nuestro padre. Mi padre por lo que pude deducir más tarde fue un hombre pasivo y extremadamente tímido. Cuando remonto mi pensamiento al pasado, puedo llegar a estas conclusiones. No tengo duda alguna que esa pasividad tuvo que ver mucho con mi manera de interactuar con los que encontraba en el camino de la vida. Más aún con este diagnóstico que hago de él, puedo también decir que en lo que a responsabilidad para proveer a la familia se trataba, él fue un campeón.

Desde que tuve memoria mi padre siempre fue un gran hombre de trabajo y un mejor proveedor. En nuestra casa nunca faltó un pedazo de pan y aunque no éramos ricos siempre suplió todo lo que necesitábamos para vivir. Él trabajaba lejos, salía los domingos y no regresaba hasta el viernes en la tarde, mientras tanto mi madre era la que corría el hogar. Los sábados él salía al pueblo a pagar cuentas o hacer la compra. Los domingos mi madre nos llevaba a la iglesia y cuando regresamos, ya él estaba casi listo para irse a trabajar una vez más. Por eso la interacción con mi padre durante mi niñez fue muy poca, y nuestra relación muy distante.

Hoy entiendo que de una manera tal vez inconsciente, me hacían falta las caricias de sus manos, o tal vez simplemente que me hubiese demostrado más atención a lo que estaba pasando en mi vida, sus manos siempre las añoré, pero nunca las pude tener. Una de las cosas que más recuerdo de él, es que siempre usaba gafas oscuras y por eso fueron muy pocas las veces que pude ver sus ojos...

Siempre escuché que mi padre tenía mal carácter, creo que las gafas lo hacían ver así. En realidad, hoy puedo entender que las gafas eran su refugio, detrás de ellas él se sentía seguro. Con sus gafas puestas podía evitar que el mundo pudiese ver sus emociones, sus sufrimientos, sus miedos... Pero sé que, en más de una vez, los cristales de sus gafas fueron salpicados por lágrimas de amarguras que la vida trajo a sus ojos grisáceos, y que en su pasividad no sabía cómo manejar.

Recuerdo claramente una ocasión cuando me encontraba jugando detrás de la casa, y mi mamá estaba conversando con una vecina acerca de mi padre. Sin querer escuchaba como mi madre hablaba en referencia a mi padre y no era alabándolo, más bien era criticándolo de forma negativa. Ese día sentí un pequeño desgarré dentro de mí. Para completar la mujer con quien mi madre hablaba era una vecina con la cual mi padre tenía conflictos para aquellos días.

Así como ella había otras vecinas que sentían gran odio hacia él. Aunque era solo un niño, pude sentir como mi madre traicionaba verbalmente a mi padre y no solo eso, lo hacía con una persona que lo detestaba. Pero recuerdo muy bien que aquella vecina se quedaba corta cuando se trataba de odiar a mi padre.

Varias casas más arriba, vivía la persona con la que descubrí cómo puede un ser humano demostrar odio hacia otro a niveles que aún a este día pocas veces he visto. Bueno más tarde pude ver odio a esos niveles, pero era en las novelas de televisión. Esta también era una fémina y su odio era bestial. En varias ocasiones presencié a mi padre discutiendo con aquella mujer y en todos los casos ambos se decían cosas que no puedo plasmar en esta historia (tendrán que usar su imaginación), pero les puedo asegurar que se ofendían de una manera terrible.

Puedo recordar claramente como si fuera hoy, un día en específico cuando mi padre yacía en cama sufriendo de una terrible parálisis facial. Mi madre, que, aunque tenía cierta animosidad por él, se encargaba de cuidarlo, y hacía todo lo que ella podía con remedios caseros para tratar de enderezar su cara que se había desfigurado horriblemente. Por su condición, él optó no salir de su habitación para que nadie le pudiera ver. Me es difícil decir exactamente cuánto tiempo duró aquel calvario para él y para mi madre, pero sé que fueron varios meses. Durante todo este tiempo creo que vi a mi padre solamente una vez y todavía cincuenta y tantos años después conservó la imagen de su cara, la desfiguración que tenía me causo mucho miedo y no me atreví entrar a su cuarto mientras estuvo allí.

Cada día observaba a mi madre cuando tomaba la hoja de la higuereta, una planta con propiedades medicinales y después de haberla amortiguado sobre el fuego se las ponía en la cara para tratar la parálisis, creo que ella era la única que entraba en aquella habitación. Un día desperté a los gritos de una mujer, la voz que escuchaba me era conocida ya que la había escuchado en muchas otras ocasiones. Era una de las vecinas enemigas de mi padre, y aunque mi padre y ella tenían sus conflictos, yo en ocasiones jugaba con los hijos de ella, para aquel tiempo y en nuestra niñez los problemas que ellos tenían no me afectaban tanto todavía. Aunque sí en muchas ocasiones recuerdo a mi padre prohibirme juntarme con ellos, más yo en contra de su voluntad visitaba la casa de esta vecina para jugar con sus hijos.

Una experiencia que recuerdo con detalle fue en una ocasión cuando me encontraba en su casa y podía a lo lejos escuchar la voz de mi madre buscándome por el barrio pues era hora de ir a la iglesia, cuando esta vecina escuchó a mi madre llamándome me dijo que me escondiera para que mamá no me encontrara. De nuevo mi ingenuidad no me permitía ver la malicia en el corazón de aquella mujer. En aquella mañana cuando me despertaron sus gritos, no sabía exactamente qué pasaba, pero poco a poco entendí lo que sucedía, aquella mujer que odiaba a mi padre prácticamente a muerte estaba parada en la carretera frente a nuestra casa y sus gritos y palabras eran indicativas de que se encontraba muy enojada.

Lleno de temor abrí la ventana sólo un poquito para poder mirar hacia afuera sin que pudiera ser notado. En ese momento pude ver cómo aquella mujer, mientras expresaba su odio hacia mi padre verbalmente, y mientras caminaba de arriba abajo se ponía un dedo dentro de la boca jalándosela como forma de imitar la parálisis que mi padre padecía. En una ocasión en medio de esta algarabía y gritando a lo más alto de sus pulmones dijo estas palabras: "Viejo 'desgraciado' (para no repetir las palabras que en realidad uso) permita Dios que te mueras y que pasen muchos días antes de que te encuentren, y que para cuando te encuentren tus testículos hayan sido devorados por los gusanos".

Nunca me enteré porqué existía aquella guerra entre mi padre y aquella mujer, pero puedo decir que ser expuesto a aquellos episodios me confundía y me causaba profundo dolor. Aquel odio que existía entre mi padre y ellas calaba profundamente mi tierno y confundido corazón. En varias ocasiones me pregunté si mi padre sufría así porque Dios lo estaba castigando. Pero fue cuando inadvertidamente escuché la conversación de mi madre con la vecina, que tuve la primera experiencia con la traición. Aún a aquella edad, pensaba, ¿cómo puede mi madre hablar así de su esposo? ¿Cómo puede ella hablar así del hombre que se va lejos a trabajar arduamente para traernos el sustento? ¿Cómo puede ella hablar así de mi padre? Y, ¿cómo puede hacerlo con una enemiga de él? Ese día sentí por primera vez la espada de la traición atravesar mi pecho y partir mi pequeño corazón... Muchas veces los adultos hablamos sin pensar que hay un niño cerca que está escuchando todo lo que decimos, y el daño que les podemos causar con nuestras palabras.

El carácter de mi padre siempre fue puesto en tela de juicio por todo el mundo, incluyendo mi madre. Hoy pienso que por usar gafas oscuras y tener su rostro serio la mayor parte del tiempo, era lo que lo hacía parecer un hombre de mal carácter. Hasta hace poco me di cuenta de que no era que mi padre tenía mal carácter, no quiero con esto decir que no tenía sus defectos pues llegó un momento en mi vida que hasta yo mismo lo detesté equivocadamente. Como dije antes, nunca supe por qué aquellas personas se odiaban tanto, quien sabe si él les hizo algo tan grave a ellas que se resintieron tanto, que su resentimiento se convirtió en odio. Supongo que la pasividad y la timidez que lo dominaban lo hacían ser como era y todo lo escondía detrás de sus gafas oscuras.

Detrás de sus gafas escondía el dolor que sintió cuando mi hermana mayor quedó embarazada de un hombre casado, y a el cual él le había prohibido acercarse por su propio bien. No imagino el dolor que pudo sentir, mientras a través del barrio se comentaba acerca de aquel embarazo ilegítimo, mucho menos el desgarre de su corazón cuándo su nieto murió unos días después que lo trajeron a la casa, de una infección en el ombligo. Aún recuerdo la diminuta cajita parecida a una caja de zapatos, que él mismo tuvo que comprar para enterar a su primer nieto. El dolor que pudo sentir anteriormente era ahora superado por la muerte de aquella criatura.

Todavía puedo ver las lágrimas bajando por detrás de sus gafas oscuras, y aún puedo sentir el dolor que, sin él expresarlo, podía notar por la manera que caminaba, cabizbajo y como si todo el peso del mundo lo llevase en sus hombros. Aquellos fueron días donde el Sol se negaba una vez más a filtrar sus rayos por las ventanas de nuestro hogar. El tiempo pasó y las cosas empezaban de nuevo a normalizarse en la casa. Mi padre seguía yéndose lejos a trabajar, y supongo que muchas noches allá en el cuartucho donde se hospedaba se ahogó con lágrimas de amargura que ahora podía dejar fluir libremente pues no había quien lo pudiese ver en su dolor.

Yo observaba todo aquel panorama como si no fuese parte de él, pero sintiendo mucho de todo aquel pesar. No tengo dudas de que mientras este capítulo en la vida de mi padre se desarrollaba, muchos en el barrio se alegraban con su dolor. Un tiempo después cuando su corazón todavía no había sanado, tuvo que volver a probar el trago amargo de saber que la niña de sus ojos estaba una vez más embarazada de aquel mismo hombre. No puedo imaginar el efecto que esta noticia causó en su alma, pero sé que, por su manera de bregar con el primer embarazo, esto fue devastador para él. No sé cómo lo recibieron mis otros hermanos y hermanas pues nunca hemos hablado de esto, pero sé el efecto que tuvo en toda mi vida al ver mi padre sufrir como lo hizo.

De ese embarazo nació mi primer sobrino Wilson, y aun en medio de su dolor, mi padre le demostró gran amor. Pero no estoy seguro si él pudo superar completamente todo el dolor que experimentó a través de aquellas experiencias. Estoy seguro de que no solo él experimentaba el sosiego; mi hermana también atravesaba una situación muy difícil durante todos aquellos eventos.

En una ocasión años más tarde mientras miraba fotografías que encontré en un álbum, vi la fotografía de mi padre con sus gafas oscuras, y con Wilson en sus manos cuando era todavía un infante, y sentí celos de él. Mi padre y sus gafas oscuras, creo que de esta manera le era más fácil lidiar con la vida. Tal vez por eso hoy día cuando platico con alguien me gusta mirar sus ojos. Dicen los que saben que cuando hablamos, nuestra honestidad se puede deducir por el movimiento de los ojos. Creo que por eso hoy me fascinan los ojos de las personas.

Considero los ojos como el órgano más fascinante del ser humano, los ojos pueden demostrar una gama de emociones y sentimientos. Cuando amas a alguien siempre tratas de buscar sus ojos, pues por esa vía y aún sin palabras puedes decirle cuánto le amas. Los ojos pueden derramar lágrimas que pueden implicar dolor o también alegría. Hay quien dice que nos podemos reír con ellos. En los ojos también se puede notar la tristeza, compasión, enojo, lealtad, miedo, ternura... en fin, son los ojos con los que miramos hacia dónde vamos y a través de ellos podemos dejarle saber a otros dónde estamos emocionalmente.

Aunque hoy soy fanático de mirar a otros a los ojos, no siempre fue así, hoy a mis 61, solo hace unos años que comencé a practicarlo. La mayor parte de mi vida evitaba mirar a otros a los ojos. Tal vez porque temía que a través de ellos pudiesen ver quién en realidad yo era. Más tarde en la vida escuché la expresión: "Los ojos son la puerta del alma", y pensé: "Yo nunca pude ver el alma de mi padre, sus gafas oscuras no me lo permitieron". Al igual que en sus manos, siempre quise perderme en los ojos de mi padre, pero sus gafas no me lo permitieron. Considero que ese debe ser el sueño de cualquier niño muy temprano en su vida. Una vez pasaron los años y me adapté a no tenerlo cerca, me sentía mejor cuando él estaba lejos trabajando pues su presencia en realidad me hacía sentir incómodo. ¡Me uní inconscientemente al club de las personas que detestaban a mi padre! Cuando él no estaba presente también se me hacía más fácil hacer cosas que no estaba supuesto a hacer.

CAPITULO 3
ORUGAS Y MARIPOSAS

El hombre moderno no puede ver a Dios,
porque no mira lo suficientemente bajo
— Carl Jung

TRATABA DE JUGAR como un niño normal, pero nunca me gustaron los juegos de competencia, o donde había algún objeto que ganar o perder, mientras ganaba todo estaba bien, pero cuando me tocaba perder me marchaba como si nada hubiese pasado, una vez a solas el sentimiento se apoderaba de mí, lloraba y me resentía con el que me había ganado. Me sentía muy fácil y esto no me dejaba establecer amistades sólidas con los otros niños. Mi hipersensibilidad fue uno de los más grandes "talones de Aquiles" en mi vida. Hoy día, (tal vez porque sufrí de ansiedad e hipersensibilidad por tanto tiempo) puedo fácilmente detectar, ya sea en los niños o adultos, cuando padecen de ansiedad. Porque entiendo lo que se sufre con ella, trato siempre que lo detecto en alguien, de acercarme a la persona y abrir conversación.

En la mayor parte de los casos una vez me identifico como una persona que padeció y en ocasiones todavía padece estas condiciones, las personas se sienten cómodas en compartir cosas que por lo regular no comparten con otros. Secretos del pasado que han estado encerrados en ellos por años y en ocasiones décadas y que son los causantes de estos síntomas tan agravantes en el ser humano. Los testimonios que he tenido el honor de escuchar en la gran parte de los casos me han arrancado lágrimas que no sabía tenía dentro de mí, esto ha hecho que muchos de ellos se abran aún más y por ende se han fortificado nuestros lazos de amistad. A través de esta práctica he podido experimentar la sanación, no sólo en ellos sino también en mí.

Cuando no estaba jugando con otros niños, me entretenía en mi propio mundo. Desde niño tuve una mente soñadora, recuerdo que, a temprana edad, un día mientras estaba en la cocina con mi madre escuché una canción interpretada por el cantante Tito Rodríguez, y me dije "cuando crezca quiero ser cantante como él". Ese fue prácticamente el único sueño que tuve de niño, pero nunca me atreví cantar, mi timidez no me lo permitía.

Pasaba mucho tiempo a solas y buscaba maneras de entretenimiento para escapar de mis complejos. Por vivir en un área montañosa y estar expuesto a la naturaleza en toda su gloria, me fascinaban los animales, las aves y todo lo que no tuviese que ver con los seres humanos. Uno de mis pasatiempos favoritos, era ir al campo a buscar los huevos de la mariposa monarca. En mi vida no he encontrado un ser humano que no le tema a algo, yo siempre le tuve miedo a los gusanos o a las orugas, pero por alguna razón no les tenía miedo a las orugas de la mariposa monarca.

Cuando llegaba la primavera me emocionaba, el tiempo de las mariposas se acercaba. En esos días después de llegar de la escuela, me cambiaba de ropa y rápidamente me dirigía a los cercados donde tenían el ganado, era allí donde crecía una planta, donde ellas depositaban sus huevos. Me sentaba en una pequeña colina a esperar, tan pronto observaba una mariposa posarse en una de las plantas, esperaba pacientemente. Una vez alzaba vuelo corría hasta la planta, la inspeccionaba con cuidado buscando a ver si en ella encontraría un huevecillo que la mariposa hubiera depositado. Esta vez no había dejado un huevecillo. Regresaba a la pequeña colina a esperar la próxima mariposa.

Mientras estaba allí sentado me preguntaba de dónde venían estas mariposas pues después de la primavera ya no las vería más hasta el otro año, también pensaba en los otros niños. Mientras yo estaba allí sentado esperando, ellos tal vez estaban en el parque jugando pelota o en otras actividades de equipo; equipos en los cuales yo nunca me pude sentir cómodo y en muchas ocasiones me preguntaba el motivo... Tal vez porque era muy pocas las veces que me tomaban en cuenta para hacerme parte de sus equipos. Y las veces que lo hacían era porque ya no había nadie más para escoger. También me preguntaba, ¿por qué me siento tan distinto a los otros niños? ¿Por qué siento dentro de mí diferentes personalidades? Ésas fueron preguntas que se forjaron en mí la mayor parte de mi vida.

Mi atención volvía a las mariposas. Mientras esperaba también ponía atención al comportamiento de las aves que compartían aquel espacio con el ganado. Vigilaba atentamente el vuelo de los ruiseñores, los pitirres y otros. Las aves siempre me fascinaron. Tal vez porque notaba en ellas la falta de responsabilidades y toda su libertad. Yo en cambio me sentía preso en un cuerpo débil y atemorizado de todo. Mi cárcel no tenía barrotes visibles, los barrotes de mi prisión estaban en mi mente e iban conmigo donde quiera que iba.

De momento observaba que otra mariposa se había posado en la planta, una vez se marchaba volvía a inspeccionar las hojas una por una, de pronto allí estaba un diminuto huevecillo blanco del tamaño de la cabeza de un alfiler. Con mucho cuidado desprendía la hoja donde se encontraba el huevo y lo llevaba a mi casa. Lo depositaba en un envase de cristal, le hacía perforaciones a la tapa y lo ponía en alguna parte del patio. Al cabo de varios días emergía del huevecillo una diminuta oruga de la cual yo me encargaría de alimentar de allí en adelante.

Cada dos o tres días iba a los cercados y regresaba con hojas de las plantas para alimentar mi oruga. Según pasaban los días, pasaba mucho tiempo observando la oruga alimentarse y crecer rápidamente. Aunque yo sabía lo que iba a pasar con ella, cada vez que iniciaba el proceso, era como si fuese la primera vez. Unas semanas más tarde, la Oruga dejaba de comer. Para ese tiempo yo inspeccionaba el pote de cristal de una manera casi obsesiva, sabía que pronto la oruga se transformaría en un cocuyo, o como yo le conocía de niño una hermosa crisálida color turquesa con una gama de puntitos negros en la parte media, que parecían una diadema de ébano.

Entonces llegaba el día, la oruga comenzaba a subir hasta llegar a la tapa del envase y con la destreza de un trapecista empezaba a segregar un filamento que le serviría de base para anclarse seguramente de su parte trasera y se dejaba colgar verticalmente, y allí quedaba en calma. Mientras tanto yo no despegaba mi vista de la oruga. El proceso era lento, pero en ese momento ese era el único sitio donde quería estar. Nada más me importaba en el mundo más que estar allí con mi pequeña oruga. Pacientemente esperaba hasta que la oruga comenzaba lentamente a contorsionarse. Después de un largo rato su piel empezaba a despegarse y poco a poco seguía la piel de la oruga desprendiéndose hasta que caía al fondo del envase. Y allí estaba, aunque lo había visto muchas veces antes, no lo podía creer. Cómo puede ser que lo que era una oruga hace sólo unos minutos, se haya transformado en esta hermosa crisálida.

Mientras esto ocurría podía sentir el corazón palpitando de emoción en mi pecho, ahora era tiempo de nuevamente esperar... no sé porque más tarde en la vida me convertí en un hombre tan desesperado, esperar en cualquier área de mi vida era para mí un fastidio. Esto me causó grandes fracasos durante toda la vida, la ansiedad de saber qué iba a pasar de una cosa o la otra, era tal que en ocasiones me enfermaba del estómago por saber la respuesta de algo que me preocupara. Cuando algo me preocupaba mi grado de ansiedad no me permitía concentrarme. Pienso que la ansiedad es destructible en cualquier nivel. La mayor parte de mi vida fui paralizado por ella.

Después de unas semanas la crisálida empezaba a cambiar su color Turquesa a uno más oscuro. Entonces un día llegaba de la escuela y allí estaba, de la crisálida había emergido una majestuosa mariposa Monarca. Una vez más quedaba anonadado con aquella transformación. Con sumo cuidado quitaba la tapa y la colocaba en la rama de algún arbusto. Poco a poco comenzaba a mover sus alas mientras estás se llenaban del fluido que le daría estabilidad suficiente para más tarde volar.

Una vez sus alas llenas, la majestuosa mariposa levantaba vuelo y sin mirar atrás se perdía entre los árboles. Yo la miraba hasta que ya no la veía más y me preguntaba, ¿hasta dónde llegará? ¿qué lugares visitará? Si pudiera yo también volaría a un mundo diferente a este en que vivo y al cual no me siento pertenecer. Mientras limpiaba el envase de cristal sentía como si una pequeña parte de mí se hubiese marchado en las alas de aquella mariposa. Más tarde regresaba al campo en búsqueda de otro huevecillo.

Por muchos años esta fue una de mis actividades favoritas, que a la vez se tornaban en tristeza cuando las mariposas se iban para jamás volverles a ver. Otra actividad a la que me dedicaba y la cual me causaba sentimientos encontrados, era ir al campo a cazar aves. Mientras estaba acechando las aves sentía un cierto grado de euforia que se magnificada cuándo un tiro certero hacía que la pequeña ave cayera al suelo con su pecho destrozado por el proyectil. Por un momento me sentía bien porque había dado en el blanco, pero una vez cogía la pequeña avecilla en mi mano y podía ver la parte de su cuerpo que había sido destrozada, esto también me causaba angustia.

Mientras limpiaba la sangre de mis manos que había brotado del pecho destrozado de la avecilla, pensaba si Dios me iba a castigar por haber matado aquellas pequeñas aves. Mi padre se enojaba mucho cuando se enteraba que yo practicaba esta actividad, y aunque nunca me castigó físicamente, verbalmente me dejaba saber cómo se sentía al respecto. Otra de las cosas que enojaban a mi padre era que los niños del barrio jugaran frente a nuestra casa. En muchas ocasiones vi como él les gritaba que se fueran a jugar a otro lado. Fueron muchas las veces que, si la pelota con que los niños jugaban caía dentro del patio de nuestra casa, él la recogía y en vez de regresarles la pelota y después de decirles que no los quería jugando allí, se aseguraba que los niños supieran que la iba a tirar dentro de una letrina que teníamos detrás de la casa. Los niños se alejaban enojados mientras murmuraban cuanto detestaban lo agrio que era mi padre. Mi padre se había convertido en un ser muy amargado, y eso me dolió mucho.

Si bien recuerdo cuando tenía unos 11 años, tuve una experiencia muy diferente cuando traje a mi casa un huevecillo de mariposa. En esa ocasión, como todas las ocasiones anteriores, hice lo mismo, puse el huevecillo en el envase, nació la oruga y se transformó en otra hermosa crisálida. Más en una ocasión cuando regresé de la escuela y fui a ver la crisálida, noté que se había desprendido y estaba en el fondo del envase. No sabía qué hacer en ese momento, después de unos días se me ocurrió usar un pedazo de hilo de coser y con él amarré la parte superior de la crisálida y luego le amarré otro de los orificios de la tapa del envase. Siguió el proceso y esperaba con ansiedad cuando emergiera la mariposa. La crisálida se tornó color marrón oscuro como tenía que ser, pero esta vez cuando la mariposa emergió, me di cuenta de que era diferente a las otras. No podía entender muy bien lo que veía. Mientras estudiaba la mariposa me di cuenta de que sólo se le había desarrollado una de sus alas. Aparentemente el tiempo que la crisálida estuvo en el fondo del envase, fue lo suficiente para dañar su desarrollo. Abrí el envase de cristal y como en tantas ocasiones llevé la mariposa al mismo sitio donde antes observé muchas de ellas volar, aquellas que con sus brillantes colores irían a embellecer los jardines de sitios lejanos. Tal vez llegaron a otro país y depositaron sus huevos allá para que otro niño también tuviese la oportunidad de experimentar aquella grandiosa transformación de oruga a mariposa.

Cuando miro atrás puedo identificarme con aquellas orugas que criaba en los envases de cristal. Yo también era alimentado y se me proveía lo necesario para vivir, pero me sentía aislado, como si estuviera dentro de una burbuja o un pote de cristal como las orugas.

El día de la noticia de la muerte del presidente americano, tal vez mi madre esperaba que en algún momento cambiaran la noticia, en aquel momento yo miraba la mariposa esperando que tal vez por arte de magia la otra ala se le formase. Mi corazón se llenaba de tristeza pues sabía que está mariposa jamás sería capaz de volar, entendía que ella no sobreviviría. Me di cuenta de que esta mariposa jamás podría llegar dónde llegaron todas las mariposas anteriores.

Creo que inconscientemente me identificaba con aquella pequeña e inútil criatura, ella era incapaz de hacer lo que naturalmente debía hacer, volar... y yo me sentía incapaz de todo... aquella mariposa y yo éramos uno. Lleno de incapacidad sabía que nada podía hacer por ella y me recordó el día que mi madre lloraba desconsolada y tampoco pude hacer nada por ella.

Esta fue la última vez que traje un huevecillo de mariposa a la casa. Para muchos, ésta tal vez es una experiencia insignificante, pero para mí este evento quedó grabado en lo más profundo de mi alma. Los dolores que experimentaba como el de aquella ocasión no los compartía con nadie. De todas maneras, no pensaba que hubiese alguien a quien le interesaría escuchar la dolorosa historia de la mariposa de un ala.

Más tarde en la vida me di cuenta lo importante que es tener por lo menos una persona con la que puedas intimar y compartir no solo tus alegrías, sino también los momentos de dolor. Los seres humanos fuimos diseñados para formar lazos con otros seres humanos, estos lazos pueden ser reforzados de acuerdo con el grado de intimidad que pueda existir entre ellos. Cuando tenemos intimidad sana con otros, esto crea individuos sanos. Cuando tenemos individuos sanos, tenemos familias sanas y por ende comunidades sanas. Es imperativo que luchemos por ayudar a nuestros hijos a llevar una vida balanceada...una manera de lograr este cometido, entiendo es a través de la comunicación sincera y la demostración de afecto a través del contacto físico, un abrazo, un beso... decirles al oído cuánto les amamos.

También considero que debemos darle importancia a las cosas que ellos consideran importantes. Cuando minimizamos alguna actividad o proyecto en los cuales nuestros hijos se interesan, estamos indirectamente minimizándolos a ellos. Para el tiempo en que me criaba no teníamos los recursos ni los conocimientos con los que contamos hoy día en relación con el desarrollo humano. Debemos aprovechar todos estos recursos para darle una mejor oportunidad a que nuestros hijos puedan crecer con sus dos alas y así puedan volar, pues para eso fuimos diseñados.

Las fuentes para instruirnos son prácticamente inagotables, pero hoy soy de opinión de que todo lo que necesitamos saber para tratar de criar hijos estables se encuentra en la Biblia, que es para mí el manual de vida escrito por El mismo que nos creó y, ¿quién mejor para darnos guía que nuestro Creador?

Se acercaba mi décimo tercer año, una de las pocas actividades que hacía en grupo, era ir a bañarnos al río. Esta actividad sin embargo no era aprobada por mi madre. Al principio se me hacía difícil tomar la decisión de ir, pero poco a poco se me fue haciendo más y más fácil desobedecer (los años de rebelión se acercaban), aunque creo que siempre dentro de mí se manifestaba un espíritu de rebelión. A esta edad ya no me asustaba mucho tener que pagar el precio por haber desobedecido a mi madre.

Alguien dijo una vez y cito: "La desobediencia te llevará más lejos de lo que piensas ir, te mantendrá allá más tiempo del que te imaginas, y te cobrará mucho más caro de lo que tú piensas pagar". ¡De esto yo iba a ser el mejor testigo más tarde en la vida! Para aquel tiempo la mayor parte de las veces me salía con la mía. Aprendí rápidamente con otros niños a mentir para irnos a hacer cosas que se me habían prohibido. Poco a poco me iba dando cuenta de que a algunos niños no les prohibían las mismas cosas que a mí y que cuando ellos desobedecían a sus padres no recibían el mismo castigo severo que recibía yo.

De manera sutil deseé en muchas ocasiones que hubiera sido mejor que no fuera hijo de mis padres, si no de los padres de aquellos niños que tenían pocas restricciones. También de manera sutil me iba resintiendo con mis padres por su estricta manera de criarme, esto me inducía a desobedecer aún más. Una de las cosas que me hicieron resentirme con mis padres, era que cuando llegaban las fiestas patronales al pueblo, ellos nunca me llevaron a ellas.

Miré en tantas ocasiones como otros padres desfilaban hacia el pueblo rumbo a las machinas con sus hijos. Yo solo me podía conformar con ver los fuegos artificiales desde el terraplén que había al terminar la calle donde vivíamos. Fue en aquel terraplén donde ocurrió algo terrible temprano en mi niñez con un hombre llamado Manolin. Después escuchaba a los otros niños cuando comentaban de cuánto se divirtieron cuando se montaban en los caballitos o de cuán deliciosas eran las golosinas de las cuales disfrutaban mientras estaban en el carnaval. Hoy mientras relato la historia me doy cuenta de que lo que empezaba a crecer en mí era el gusano de la envidia. Envidiaba los niños con padres más flexibles, pero también envidiaba los que tenían padres estrictos y que de alguna manera ellos respetaban. Estos niños no se iban sin permiso al río, eran buenos estudiantes y crecían socialmente. Ahí era cuando el gusano de la envidia me susurraba al oído: "¿Por qué ellos pueden y tú no?"

Hoy puedo ver las variantes en los hogares de aquellos niños de padres estrictos pero que a su vez platicaban con sus hijos, se envolvían en sus actividades y le demostraron cariño de diferentes maneras. Hoy entiendo que inclusive el ser estrictos con ellos era una manera de demostrarles a ellos su amor. En aquellos hogares existía un balance entre la disciplina, el respeto mutuo y el amor expresado. Éstos eran hogares más estables que producían niños más estables, más respetuosos y con mejor rendimiento en casi todas las áreas de sus vidas.

No es coincidencia que La palabra dice "aquellos que honran a su padre y a su madre serán grandemente bendecidos". En cambio, yo vivía en un hogar muy distinto. También notaba cómo otros hombres eran cariñosos con sus esposas. No recuerdo en lo absoluto haber visto mi padre besar o decirle algo bonito a mi madre. Jamás le vi siquiera tocarla. No lo notaba entonces, pero según fui creciendo esas cosas traían preguntas a mi mente. Por el momento mis complejos me mantenían tan ocupado que estas cosas no las tomaba en cuenta. En este tiempo de mi vida comencé a luchar con algo que me marcó creo que más que cualquier otra cosa que antes haya experimentado.

Cuando íbamos al río empecé a notar el cambio qué estaba ocurriendo en el cuerpo de los otros niños. Sus cuerpos se empezaban a transformar, el pelo empezaba a asomarse en sus axilas y alrededor de sus testículos. Sus tetillas se hinchaban y sus espaldas se extendían. Después que terminamos de bañarnos nos íbamos en busca de alguna fruta que podía estar en temporada. Los Mangos, la Guayaba, Pomarrosa y Fresas silvestres entre otras, eran algunas con las que nos deleitamos después del río. Mientras caía la tarde y emprendíamos el camino a nuestros hogares, comenzaba a pensar en qué mentira le diría a mi madre con respecto a dónde había estado. Después de pasar el susto, me metía al baño y de una vez mientras me bañaba me inspeccionaba para ver si mi pelo púbico ya se estaba asomándose. Decepcionado terminaba y pensaba: "ya pronto también los tendré", ya pronto mis tetillas se hincharán y mi cuerpo crecerá.

Era aún más difícil ver cómo otros niños más jóvenes que yo empezaban a mostrar señales de desarrollo, esto me causaba gran angustia. Pasé mis 13 años esperando mi pelo púbico, pero no llegó. Seguramente a los 14 los tendré, pero tampoco fue así, poco a poco dejé de ir al río con los niños de mi edad pues era demasiado doloroso para mí ver cómo ellos se desarrollaban y yo no. Como me gustaba tanto ir al río seguí haciéndolo, pero con niños más jóvenes y que todavía no mostraban indicios de pubertad. Con ellos me sentía cómodo pues no había diferencias entre sus cuerpos y el mío, más la angustia de que no me desarrollaba me carcomía hasta lo más profundo de mi existir.

Ya entrado los 14 años notaba como los otros niños comenzaban a entablar relaciones amorosas con las niñas. A mí me encantaban las niñas, pero la timidez no me permitía acercármeles. En ocasiones me enamoré locamente de alguna de ellas, pero nunca me atreví a decírselo. Aparte de esto ya en conversaciones había escuchado otros niños hablando de cómo besaban y tocaban a sus novias. También algunos de ellos ya estaban teniendo relaciones sexuales con ellas. Yo en lo personal no me encontraba lo suficientemente atractivo para que alguna niña se fijase en mí, pero sí, las niñas me atraían. Cuando llegaba el pensamiento de hacerle un acercamiento a alguna de ellas pensaba: "Si se diese el caso que una de ellas se fije en mí y nos hacemos novios, ¿cómo va ella a reaccionar si llega un momento donde ella quiere intimidad?" Con qué iba yo a responder, después de todo yo era un niño de 14 atrapado en el cuerpo de un niño de 9 años con todos los complejos habidos y por haber.

Recuerdo como si fuese hoy el día en que recogí el complejo de que tenía la cabeza muy grande. Andaba corriendo una terecina y cuando pasé cerca de un niño que jugaba a cachar pelota, éste se giró hacia mí y dándome con el guante en la cara me hizo perder el equilibrio y me caí contra el pavimento. Llorando me levanté y mientras me alejaba lleno de resentimiento, pues no me atreví a confrontarlo, oía que me gritaba: "¡Aléjate de aquí cabezón!". Nunca lo había considerado, pero aquel día y en aquel instante sentí que mi cabeza se agiganto y de ahí en adelante añadí otro complejo a mi ya larga lista.

Por mucho tiempo odié aquel niño en secreto, era todo lo que podía hacer mientras soñaba con crecer para darle su merecido. También por mucho tiempo, y en mi imaginación podía ver cómo le pegaba y lo hacía pedirme perdón por lo que me había hecho. Allí en mi imaginación era donde se desarrollaba la mayor parte de mi vida. Dentro de mi cabeza tenía control de cualquier situación y era allí donde me mantenía la mayor parte del tiempo.

Cuando me enamoraba de alguna niña me imaginaba cómo le iba a hablar y qué cosas le diría para captar su atención. Una y otra vez cambiada mis estrategias buscando lo que pensaba sería la manera perfecta para enamorarla; mañana, me decía a mí mismo, cuando la vea en la escuela me le acercaré y le pediré que sea mi novia. Esa noche me acostaba lleno de confianza. "Mañana tendré novia", me decía a mí mismo y me dormía imaginándome que ella me aceptaba y nos besábamos apasionadamente cómo había visto en las novelas de televisión.

Cuando despertaba al otro día ya no me sentía igual. Todo aquel ánimo con el que me había acostado desaparecía. Me empezaba a llenar de temor pues el mero hecho de pensar que la vería me consumía en pánico. Entonces empezaban las preguntas, ¿qué tal si ella no me acepta? ¿Y qué tal si ella se ríe de mí por pensar que ella pueda estar atraída de mí? "Seguramente te dirá que no está interesada en un niño como tú, un niño cabezón con los dientes torcidos, con un ojo más grande que otro, con el pelo encrespado que no se asienta bien cuando se peina, un niño enclenque que todavía no se desarrollaba". Un niño que no poseía cualidades y talentos atléticos, que era para mí era una de las cualidades que más se requerían para que un niño fuese triunfador y que las niñas se fijasen en él.

Todo esto se desarrollaban en mi mente mientras me preparaba para irme a la escuela. Mientras me peinaba podía notar que mi pelo no quedaba como yo quería y volvía a peinarlo. Me ponía más brillantina para ver si podía dominar aquellos cabellos indomables con los cuales había sido 'maldecido', y que parecía que tenían vida propia. Después de 13 o 14 veces de tratar, me daba por vencido y me marchaba a la escuela.

Cada paso que me acercaba al plantel me hacía recordar que ella, la niña con la que yo soñaba estaría allí. Poco a poco sentía un gran frío que se iba apoderando de mí, un frío interno, tenía que ser interno pues la temperatura estaría por lo menos a 70 o 75 grados, pues después de todo vivía en una isla tropical. El corazón se agitaba en mi pecho y sentía que en cualquier momento explotaría, así como cuando miraba la oruga transformándose en una crisálida, pero en esta ocasión mi corazón palpitaba por temor. Aun así, todavía me sentía algo motivado a acercarme a la niña cuando la viera. Llegaba al salón de clase y para este tiempo ya era un saco de nervios pensando una y otra vez cómo iba a ser aquel encuentro. Por tener mi mente ocupada en esto no podía poner atención a lo que los maestros trataron de enseñarme.

Hacía varias semanas o tal vez meses que había llegado a la escuela con la intención de declararle mi amor a alguna niña y hoy sería el día en que lo haría. En la hora del recreo, me decía, iré donde ella, la miraré a los ojos y le diré cuánto me gusta, y que me gustaría que fuese mi novia, más podía sentir la sangre congelándose en mis venas, el estómago estaba hecho un desorden. Si era una niña que estuviese en el mismo salón ni siquiera me atrevía mirar en su dirección pues temía que alguien pudiese darse cuenta de que la niña me gustaba. Para cuando llegaba la hora del recreo me encontraba completamente paralizado. Ese día pasaría a la historia como otro de tantos en los cuales mis emociones dominaron mis intereses.

Cuando se terminaba el día escolar regresaba a la casa resentido conmigo mismo por no haber tenido el valor de llevar a cabo mi plan de conquista. Mañana se lo diré, mañana sí que me le declaro, pensaba mientras cabizbajo seguía camino a casa. Ese sería el patrón por mucho tiempo. Me enteré mucho tiempo después de que yo sí le caía bien alguna de las niñas que en mi imaginación conquisté, pero que nunca se enteraron. Sentí celos de los otros niños que ya se atrevían a declarársele a las niñas, el gusano de la envidia se iba engrandeciendo en mí.

No conozco una persona de mi infancia de la cual no sentí envidia por una cosa o la otra. Hasta a mi propio hermano Moisés lo envidiaba porque él tenía mucha suerte con las chicas. Sé que exagero, pero creo que desde que tenía como 3 años ya estaba envuelto con las niñas y eso me hacía sentir resentimiento hacia él.

Mientras escribía este libro escuché una historia que me llamó la atención y que de alguna manera pensé la puedo entrelazar con mi vida. Se trata de una tradición que tenían algunas tribus indígenas de lo que hoy conocemos como Norteamérica. En estas tribus cuando un niño entraba en la pubertad, era llevado al bosque por su padre para comenzar el proceso de transición de niño a hombre. Según cuenta la historia, cuando el padre sentía que era el tiempo adecuado tomaba una venda y la ponía sobre los ojos de su hijo, cuando caía la noche ambos se internaban en el bosque. Una vez allí el padre sentaba el niño en un en el tronco de un árbol. Para que el niño pudiese ser llamado un hombre él debería pasar allí la noche entera sin quejarse o demostrar temor. El padre lo dejaba allí y se marchaba. Mientras el niño estaba allí sentado sobre el tronco seguramente podía escuchar los diferentes ruidos del bosque, tal vez de fieras como gatos monteses, osos o cualquier otra fiera oriunda de esas partes, pero nada de eso le debería causar tanto temor que él tuviese que quejarse. Si lo hacía no habría pasado la prueba. Toda la noche debería mantenerse quieto sentado sobre el tronco. Cuando llegaba la mañana y percibía la claridad del sol entonces él podía quitarse la venda. Una vez lo hacía y para su sorpresa podía ver que allí, a solo unos metros de él, se encontraba su padre sentado y que había permanecido allí toda la noche para protegerlo en caso de que alguna fiera del bosque viniese hacerle daño.

No puedo imaginar la alegría del padre al ver que su hijo había pasado la prueba, y tampoco puedo imaginar la alegría del chico al saber que su padre nunca lo abandonó. Cómo me hubiese gustado que mi padre me hubiese tomado de la mano y me hubiese llevado al bosque de la vida, y qué me hubiera enseñado lo que era ser un hombre. Que me hubiese enseñado cómo un hombre debe tratar a una mujer, cómo un hombre podía aprender a ser valiente.

Lamentablemente creo que él no podía, pues hoy puedo deducir por la forma en que él era, que tal vez a él tampoco lo llevaron al bosque para aprender lo que era ser un hombre. No estoy seguro, pero creo que a él también le dieron una caja con muy pocas herramientas. Creo que mi padre también era una mariposa con un ala.

Mientras seguía navegando el mar de mi vida en mi barquito de papel, continuaba una y otra vez experimentando un naufragio tras de otro. Todo era extremadamente difícil, a menos que se tratase de recrearme en el campo. En la escuela era donde más difícil continuaba siendo mi desarrollo. Allí tenía primeramente que desenvolverme con las distintas materias que los profesores trataron de enseñarme, y con la dura lucha de aparentar sentirme aceptado.

Una experiencia que tuve cuando me encontraba en el cuarto grado de la primaria despertó gran apatía hacia todos aquellos profesores que tuve durante mis años escolares. Me encontraba en el salón de matemáticas y la profesora salió del salón por unos minutos. Mientras ella se encontraba fuera se formó un gran desorden en el salón. Muchos de los niños comenzaron a tirarse con las tizas y los borradores que había en la pizarra. Yo no me encontraba envuelto en aquel movimiento. De pronto uno de los borradores que un niño había lanzado cayó a mis pies. Lo recogí y procedí a llevarlo y ponerlo de nuevo en la pizarra. Para mi mala suerte cuando me encontraba allí frente de la pizarra con el borrador en la mano la maestra regresó al salón de clases.

Sin titubear ni dejarme explicar, tomó mis dos pequeñas manos entre una de las suyas y me abofeteó duramente. Para aquellos tiempos no era raro que un niño que se portarse mal pudiese haber sido castigado físicamente por los profesores. Yo había sido reprendido en ocasiones anteriores por alguna falta que hubiese cometido, pero nunca había sido castigado físicamente. Había visto, sin embargo, en muchas ocasiones otros niños ser castigados físicamente. Ese día me tocó a mí, pero yo no había cometido ninguna falta, fui castigado injustamente, de una manera violenta y frente de todos los otros niños en el salón. Nunca le comenté nada a mis padres temiendo que ellos no creyeran que fui injustamente castigado. La vergüenza y la pena de aquel evento, fue lo que me causó sentir aquel odio interno por todos los profesores durante el resto de mi vida escolar. Otra vez mi barquito de papel naufragaba en el resentimiento y el odio, ahora dirigido a los profesores escolares.

Una de las experiencias más duras que puede experimentar un ser humano es estar rodeado de otras personas y aun así sentirse solo y aislado. Era una batalla constante el tratar de sentirme ser parte de cualquier grupo. Me acercaba a los 15 años y todavía mi desarrollo físico no había comenzado. Para aquel tiempo estaba convencido que jamás me desarrollaría normalmente. La angustia era insoportable, nada tenía sentido para mí. Ahora que lo pienso bien posiblemente las palabras que una vez mi madre susurró a mi oído, no permitieron que yo atentara contra mi vida por toda la angustia que sentía. En una ocasión cuando era mucho más joven ella me dijo: "Rubén, Dios perdona cualquier pecado que un ser humano pueda cometer, pero El nunca perdona las personas que se suicidan". Esas palabras fueron tal vez la única razón por la que en ningún momento atente contra mi vida, pues ella había engendrado el temor a Dios en mí.

Ahora se que esas palabras no son ciertas, pero me alegro de que Dios las uso para preservar mi vida. ¿Como lo se? Por estas palabras,

> [35] *¿Quién nos separará del amor de Cristo? ¿Tribulación, o angustia, o persecución, o hambre, o desnudez, o peligro, o espada?*
> [36] *Como está escrito:*
> *Por causa de ti somos muertos todo el tiempo;*
> *Somos contados como ovejas de matadero. m*
> [37] *Antes, en todas estas cosas somos más que vencedores por medio de aquel que nos amó.*
> [38] *Por lo cual estoy seguro de que ni la muerte, ni la vida, ni ángeles, ni principados, ni potestades, ni lo presente, ni lo por venir,*
> [39] *ni lo alto, ni lo profundo, ni ninguna otra cosa creada nos podrá separar del amor de Dios, que es en Cristo Jesús Señor nuestro.*
> *Romanos 8:35-39 RVR1960*

Muchas veces no pensamos en el poder que pueden tener las palabras, ni lo mucho que pueden ayudar o dañar a otras personas. Más de una vez retumbaron en mi mente aquellas palabras cuando me encontraba en los momentos más difíciles de mi vida. Mientras cursaba el noveno grado mis frustraciones se profundizaron aún más en mí. Cuando terminaba el año escolar comenzamos a prepararnos para la graduación. Mientras organizaban el orden en que íbamos a desfilar, comenzaron a anunciar los nombres de las personas con quien lo haríamos. Recuerdo claramente cuando la niña con quien me tocaba desfilar dijo abiertamente que ella se negaba a desfilar conmigo, que ella desfilará con cualquier otro niño, pero no conmigo, y que si no me cambiaban como su pareja, que ella entonces prefería desfilar sola, o no desfilar. Las parejas las asignaban de acuerdo con la estatura. Yo era el niño más pequeño de toda la clase graduanda y de las niñas solo ella y otra éramos más o menos del mismo tamaño. Los organizadores accedieron a su demanda y me pusieron a desfilar con la única otra niña que era de mi estatura. Pero ya el daño del desprecio estaba hecho.

El dolor que sentí en aquella ocasión fue desgarrador. Todos se enteraron de la decisión de la niña y la humillación que sentí, todavía a este día se me hace difícil describirla. Una vez más era rechazado, una vez más era humillado y tratado cómo un niño inferior. Esto era un clavo más en la cruz donde me sentía crucificado por todos. El resentimiento y el odio que se despertó en mí por aquella niña nunca lo había sentido anteriormente por nadie más. Encima de esto, esta niña me gustaba y como muchas veces anteriormente en mi vida, había soñado con declararle lo que sentía por ella.

Todos en la vida vamos a experimentar en una ocasión u otra alguna forma de humillación. Podemos ser físicamente atacados o podemos ser atacados verbalmente y de muchas otras maneras, pero considero que no hay forma de humillación más vil y dolorosa que el ser despreciado por otro ser humano, y este dolor se magnifica cuando el desprecio viene de los seres que amamos.

Desde el evento del rechazo, mi vida se convirtió en un viacrucis. Cada día que pasaba, y mientras más se acercaba la graduación, lo sufría más que el día anterior. Sabía que tendría que desfilar frente a toda aquella gente, y ya de antemano me imaginaba, que de la misma manera que la mayor parte de la clase graduanda sabía, aquellos que iban a estar allí observando el evento también sabrían que yo había sido despreciado por aquella niña. Para colmo yo sería el primero en línea para desfilar con la pareja que se me asignó y la niña que me rechazó estaría desfilando precisamente detrás de nosotros.

El día de la graduación de noveno grado había llegado. Para muchos este sería un día de regocijo, un día donde se celebraría un logro más en la vida. Este día serían reconocidos todos los que sobresalieron académicamente, también los que demostraron superioridad en el atletismo y en muchos otros campos. Sus nombres serían escuchados en el gran salón, y cuando fuesen llamados, uno a uno iría al pódium a buscar sus cintas, medallas o trofeos. Yo sabía de antemano que mi nombre no estaría en aquella lista. Después de todo, a duras penas, y como en la mayor parte de los años anteriores logré las calificaciones suficientes para pasar de grado.

Para todos aquel era un día de celebración, para mí era la culminación de varios meses de angustia. En la mañana de ese día, abrí mis ojos y deseaba no existir. En mi barrio había varios muchachos que también se graduaron conmigo, con ellos venía compartiendo mi vida escolar desde la primaria. Algunos de ellos escucharán sus nombres ser llamados por algún logro y esto me traía de nuevo aquel sentimiento de inferioridad.

El uniforme de la graduación era el mismo para todos los niños, sin embargo, aunque tenía la misma camisa, la misma corbata y el mismo pantalón, sentía que todos ellos estaban mejor vestidos que yo. Hoy me puedo dar cuenta que no se trataba de la ropa que llevaba, sino de cómo me sentía por dentro.

Aquel también fue uno de los días más largos de mi niñez, parecía que nunca iba a terminar y no podía ver la hora en que todo aquello terminara, llegar a mi casa, cambiarme aquellas ropas por unas más cómodas, e irme al campo donde nadie pudiese notar lo fuera de sitio que me sentía en medio de todo aquello.

Estaría de más decir que no me quedé para la fiesta después de la graduación. Una vez en mi casa y mientras me cambiaba de ropa pensaba en cuánto se estarían divirtiendo todos ellos en la fiesta, y con el corazón lleno de angustia volvía a preguntarme: "¿Por qué no puedo yo sentirme como ellos, ni divertirme como ellos?"

Con estos pensamientos en mi mente me iba al campo solo a escapar de la realidad. Pero una vez allí y solo, no podía sacarme de la mente las imágenes de cómo ellos la estaban pasando en el baile de graduación. Los imaginaba bailando, riendo y contándose los planes que tenían para las vacaciones de verano. Algunos de ellos estarían compartiendo con sus novias y sentados en una gran mesa rodeados de sus familiares, que orgullosamente fueron a compartir con ellos tan preciado día. Yo me encontraba solo en el campo, pero con todos ellos en mi cabeza y resentido conmigo mismo porque no tenía la capacidad de comportarme y disfrutar como ellos.

También me preguntaba: "¿Qué mentira les diré a los que me preguntarán después...? Que por qué no me quedé para disfrutar la fiesta de graduación..."

Para este tiempo era bastante versátil en mentir... algo se me ocurrirá cuando me pregunten me decía.

Era el verano del 72 y en esos días se me dio una noticia que no esperaba. "Rubén, te vamos a enviar a Estados Unidos por el verano", dijo mi madre. No estoy seguro si era una forma de regalo por haberme graduado de noveno grado, pero eso me llenó de alegría.

De ahí en adelante, no podía esperar el día en que me llevaran al aeropuerto para salir de aquel mundo al que no pertenecía.

"¡Wao! Voy para Boston, en Estados Unidos", pensaba. Ya me imaginaba cómo iba a cambiar el color de mi piel pues había visto mis hermanos y otras personas que habían estado en los Estados Unidos, y cuando regresaban parecían gente diferente. La piel se le notaba más clara, era como si los hubiesen transformado mientras estuvieron allá.

Recuerdo que cuando mis hermanos regresaban a la Isla hasta olían diferentes. El día del viaje se acercaba y yo tenía sentimientos encontrados. Por un lado, quería salir de aquel sitio donde me sentía que vivía preso en un envase de cristal, y por otro me sentía muy nervioso pues llegaría a un sitio completamente nuevo para mí. Pero ya todo estaba arreglado, según me dijeron, solo iba a estar en Estados Unidos durante las vacaciones de verano y después regresaría a la isla.

La noche antes del viaje fue me pareció más larga que todas las noches, y en la que dormí muy poco. Sentía los nervios descompuestos mientras pensaba cómo iba a ser mi vida en este nuevo lugar. El día siguiente estaba ansioso de montarme en el carro, para salir rumbo a el aeropuerto. Todo parecía ir como en cámara lenta, hasta que escuché la puerta del carro cerrarse, entonces me di cuenta de que el momento de partir había llegado.

El chofer puso el vehículo en marcha y lentamente comenzó a bajar por la carretera del barrio. Mi padre que me acompañó al aeropuerto platicaba con el chofer de cosas que yo no tenía interés en escuchar, y de las cuales entendía muy poco. Mientras el vehículo se desplazaba por la carretera, yo miraba cada rincón de aquel barrio donde me había criado. Mientras me alejaba de él, en cada esquina podía ver algún recuerdo de mi niñez. Atrás quedaba el terraplén donde muchos años antes un hombre llamado Manolin, en contra de los ruegos de algunos vecinos se tomó un brebaje que tenía en un envase, que antes había contenido alcohol, pero que ahora contenía una dosis letal de veneno. Después de tomarlo se fue corriendo... unos días más tarde lo encontraron muerto cerca del río. Allí donde lo encontraron plantaron una cruz de cemento que me causaba miedo cada vez que pasaba por aquel sitio.

Tal vez, ese evento fue el que incitó a mi madre a susurrarme al oído aquellas palabras: "Rubén, Dios no perdona al que suicida", no sabiendo ella lo mucho que significaron aquellas palabras más tarde en mi vida.

Mientras el vehículo seguía su marcha vi los sitios donde jugué trompos, canicas... vi los mejores rincones donde me escondí cuando jugábamos al escondite. En los cables eléctricos vi las chiringas con sus rabos de tiras de colores que algún niño perdió cuando su chiringa se enredó en ellos, y era como si ellas sospechaban que me marchaba, y ondulando en el viento me decían adiós. Mirando atrás pude ver la casa donde me crie alejarse, allí quedó mi madre llorando, y seguramente pidiéndole a aquel Dios que me había sanado de los parásitos que cuidara de mí, también sin saber lo mucho que iba a necesitar aquellas oraciones.

Los perros de Doña Mela ladraban y perseguían el carro como queriéndonos decir que aquel era su territorio, mientras tanto escuchaba mi padre quejarse de porqué aquella gente tenía aquellos perros realengos sabiendo que eran tan bravos.

La nostalgia se apoderaba de mí, aun los rincones donde tuve malas experiencias me parecían más hermosos en aquel momento. Era como si en realidad no quería dejar aquel sitio, aquel sitio al cual sentía no pertenecía, pero era el único que conocía. Aun con toda aquella cascada de sentimientos encontrados, mi corazón pertenecía allí. Mientras continuamos la marcha, vi el flamboyán frente a la casa de doña Cecilia alejarse, su copa vestida de un hermoso color anaranjado que sus flores despedían, debajo de él en muchas ocasiones nos sentamos un grupo de niños para escuchar a algún adulto decirnos cuentos.

También las flores de aquel Flamboyán las usábamos para jugar un juego que llamábamos gallitos. Al otro lado de la calle pude ver el cuartito de madera pintado de verde detrás de la casa de Doña Teresa. En aquel cuarto mantenían encerrado a Moncho, uno de sus hijos que tenía trastornos mentales y que en ocasiones se escapaba, y no sé a otros niños, pero a mí me causaba terror el solo pensar que me pudiese encontrar con él mientras estaba suelto en el barrio.

Al frente de algunas casas podía ver la ropa en los cordeles, y podía identificar a qué miembro de la familia pertenecían, ellas también como representando a sus dueños me decían adiós. Algunos de los niños del barrio miraban la guagua, como si desearan ser ellos los que partían, mientras tanto me preguntaba si me iban a echar de menos.

Bajando la cuesta vi la barbería de Don Amado, la tienda de Toño Arroyo y más allá el parque de pelota donde todos menos yo jugaba, no porque no quería, sino porque no tenía la destreza que ellos buscaban cuando hacían sus equipos para jugar, y por eso no me incluían para jugar.

Recuerdo que en una de las pocas ocasiones que se me permitió jugar, le lancé la pelota a Papo, el de Don Goyo pero él no estaba mirándome, después que le había lanzado la pelota, llamé su nombre para advertirle que la bola iba en camino y cuando se giró la bola le dio en la nariz quebrándosela. Rápidamente la sangre comenzó a fluir de su nariz y asustado me fui corriendo a la casa... por las próximas semanas me mantuve alejado de él, pensando que estaría enojado conmigo, y tal vez me pegaría por ello.

También podía ver la quebrada donde en tiempos anteriores las mujeres del barrio lavaron las ropas, y la cual yo frecuentaba para pescar Buruquenas (cangrejos de agua dulce).

Pasamos por la escuela primaria donde fui abofeteado por la profesora, y el resentimiento que sentía por ella volvió a dominarme rápidamente.

Frente a la escuela, se elevaba una chimenea que fue parte de la central de caña Santa Bárbara, la cual hacía mucho había dejado de funcionar. Aquella estructura había sido usada en una ocasión para dar clases mientras construían salones nuevos en la escuela. Allí cursé mi segundo grado, y allí fue que también tuve un accidente cuando me caí de un segundo piso fracturándome el brazo derecho, razón que usé por los próximos meses para no hacer ningún tipo de trabajo escolar.

Tomaba fotografías mentales de aquel sitio como si nunca fuese a regresar. Montándonos en la carretera principal en ruta al norte, pude ver el negocio de Don Chu Marín, después pasamos por el caserío La Montaña, seguidamente el parque de la escuela superior donde montaban las máquinas a las cuales nunca me llevaron, porque la religión de mi madre no estaba de acuerdo que los cristianos fuésemos a esos sitios.

Pasamos la escuela superior, y la escuela intermedia donde la niña de ojos claros y pelo rubio se negó a ser mi pareja de graduación. Pasamos la casa de la alcaldía y poco a poco se fue quedando atrás aquel pequeño mundo que conocía.

Mientras continuamos la marcha me perdí en el verdor de las grandes montañas que rodeaban aquel pequeño pueblo. El Cerro Puntas se elevaba majestuoso en la distancia como un gigante, y sentía que me miraba con cierta tristeza al ver uno de sus hijos marcharse, y tal vez presintiendo que no iba a ser sólo por el verano, y que pasaría mucho tiempo antes de volverme a ver.

La nostalgia se convirtió en una catarata que invadía cada rincón de mi cuerpo. Mucho de lo que vi en el camino de ahí en adelante era prácticamente nuevo para mí.

Llegamos a el aeropuerto y mientras nos dirigimos a la puerta donde me tocaba abordar el avión, podía notar cuán nervioso estaba mi padre. No recuerdo bien cómo me sentía, pero pude darme cuenta de que él no se sentía cómodo en aquel ambiente.

Antes de abordar el avión mi padre se acercó, me abrazó, me dio uno de los pocos besos que recibí de él en la mejilla, extendió su mano temblorosa y con una lágrima que se le escapaba por debajo de sus gafas oscuras me entregó $40.

En medio de aquel estado de nervios dejó salir unas palabras de su boca, pero en este día no las recuerdo, creo que me echaba la bendición. Aunque mis sentimientos hacia él no eran los mismos de cuando era pequeño, en ese momento aprecié aquel abrazo... aquel beso, y sentí dolor por aquella separación que estaba a punto de ocurrir.

Mientras caminaba por el pasillo para abordar el avión, mirando atrás pude ver a mi padre y sabía que su corazón estaba adolorido, sus ojos, aunque no los podía ver sabía que para ahora estaban inundados de lágrimas.

"*Ladies and Gentleman*", escuché a alguien decir a través del sistema de bocinas del avión. Esto lo entiendo ahora pero aquel día no entendí ni papa de lo que dijeron en inglés. Seguidamente escuche la misma voz, esta vez tratando de hablar en español decir "Damas y caballeros bienvenidos al vuelo de American Airlines con destino a la ciudad de Boston... Favor de abrocharse los cinturones..."

El viaje duró unas tres horas, yo no me moví de mi asiento para nada... Solo esperaba llegar a este sitio llamado Boston en los Estados Unidos donde la gente llegaba morenita y la piel se les aclaraba.

Durante el viaje mirando por la ventanilla del avión, me preguntaba si alguna de las mariposas que solté cuando más joven, tal vez había volado por aquel mismo espacio donde volaba el avión en el que me encontraba.

Mientras estaba allí sentado podía escuchar a algunos de los pasajeros contando las hazañas que tuvieron durante su visita a la isla. Mientras tanto otros llamaban a la aeromoza para ordenar unas botellitas de ron, hielo y alguna soda para mezclarlo.

El pasajero que estaba a mi lado, un hombre trigueño y de apariencia ruda como muchos de los que conocí en mi pueblo, y que por trabajar en la agricultura demostraban haber sido castigados duramente por el fuerte sol puertorriqueño, con un sombrero y engabanado ordenó una soda y hielo, después metió la mano en una bolsa que cargaba y de allí sacó una botella de ron que tenía escondida, me miró y llevándose el dedo a la boca me hizo señas de que no fuera a decir nada.

Esto lo hizo muchas veces durante todo el viaje. Cada vez que lo hacía me miraba y guiñaba un ojo como queriéndome decir que él era más astuto que aquellos otros pasajeros que tenían que pagar por sus tragos.

A mitad de vuelo ya se había terminado la primera botella, y procedió a quitarle el tapón a una segunda botella que también traía, la cual también casi terminó para cuando aterrizamos.

"Damas y caballeros", volvió la voz a decir, pero esta vez nos informaba que estábamos a solo unos minutos de aterrizar. El corazón me comenzó a latir como cuando miraba las mariposas salir de sus crisálidas...

El avión aterrizó y rápidamente, aún sin haber llegado a la puerta de salida, todo el mundo se empezó a mover de un lado al otro buscando sus pertenencias, dando a entender que querían salir de allí lo más pronto posible.

El hombre que estaba sentado a mi lado, no creo se había dado cuenta que habíamos aterrizado, para entonces ya estaba bastante borracho. Unas personas que viajaban con él lo tuvieron que ayudar y cargar sus pertenencias para salir del avión.

Cuando finalmente salí, empecé a buscar entre la multitud a mis familiares que estarían esperando por mí. Después de unos minutos encontré los ojos de mi hermana María y mi hermano Ángel, el que le había enviado el radio a nuestra madre.

Estos eran mis hermanos, pero en realidad no los conocía bien. Ellos salieron de la casa cuando yo era muy niño y no recuerdo haber tenido mucha interacción con ellos, aparte de las veces cuando visitan del extranjero y traían golosinas y por ese tiempo sentía que todos los otros niños me envidiaban, porque tenía familiares en Estados Unidos y estaban de visita.

Después de unos abrazos y besos, nos dirigimos a la casa de mi hermana, ella sería mi tutora por el tiempo que estuviese en Estados Unidos. Lo primero que noté cuando desperté por primera vez en Estados Unidos fue que el canto de las aves era diferente a los de Puerto Rico.

Miré por la ventana, y vi un grupo de avecillas que no me parecieron muy atractivas por la falta de colores en su plumaje. Comparadas con las aves de mi niñez, estas aves eran poco atractivas, por lo menos para mí. No eran nada como las de Puerto Rico, las cuales tienen plumajes de colores brillantes.

La Reinita con su cuerpo color negro azabache combinado con un pecho amarillo brillante. El Zumbador que podía mantenerse suspendido en el aire como si estuviera flotando mientras de él se desprendían toda clase de colores según los rayos de sol lo bañaban. Los canarios, Ruiseñores, la Calandria, el Pitirre que parecía no dormir mientras cazaban insectos cerca del foco en el poste del tendido eléctrico frente a mi casa... la paloma turca en el palo de Panapén que estaba cerca de mi ventana y de la cual escuchaba su canto como un quejido doloroso todas las mañanas al despertar, hasta este día su canto me hace inconscientemente recordar el quejido que cuando pequeño escuché salir de mi madre... Todos me hicieron falta en aquel momento.

Estas aves que vi a través del cristal eran de un color marrón oscuro opaco y solo emitían un chirrido que no era bien recibido por mis tímpanos... De pronto oí que tocaban la puerta del cuarto, (aún aquello me era nuevo pues en la casa de Puerto Rico las entradas de los cuartos tenían cortinas) era mi hermana diciéndome que el desayuno estaba listo. Salí del cuarto y después de asearme un poco me senté en la mesa, allí frente a mí había un emparedado de algo llamado Boloña, un tipo de carne extraña en rebanadas, con queso también rebanado, cereal de hojuelas de maíz y un vaso de leche. Muy diferente a los huevos revueltos que mi madre me preparaba, y que había recogido de las gallinas que tenía en el patio, también la avena que había desayunado el día anterior en Jayuya.

Mientras desayunaba, podía ver a mi sobrino Wilson sentado en el piso jugando con unos carritos y tuve un sentimiento extraño, como si el que estaba sentado en el piso jugando era yo, me tomó un tiempo ajustarme a todos aquellos nuevos sabores... Pero el sabor de la comida era lo de menos, ahora estaba en los Estados Unidos, había mucho por explorar. Un poco después fuimos caminando a un supermercado a hacer unas compras. Luego fuimos a visitar familiares que no conocía y entonces sí que comencé a notar la diferencia entre aquel sitio y el pequeño pueblo de dónde yo venía.

Cambridge, Massachusetts, este era el nombre de la ciudad donde ahora vivía, y aunque no se podía comparar con los rascacielos de Boston (la capital) como me di cuenta más tarde, aun así, aquellos edificios multiniveles, y en fin todo lo demás de allí impresionaba a este jibarito, que tal vez lo más emocionante que antes había visto, fue a una oruga transformarse en mariposa.

El edificio en que mi hermana vivía se componía de seis apartamentos, nosotros ocupamos uno de los dos primeros pisos. En el otro primer piso vivía un americano retirado de la Marina de Estados Unidos con su esposa; los cuales demostraron tener un serio problema de alcoholismo. En nuestro lado en el segundo piso vivía un italiano que después de un tiempo, en ocasiones vi bajar las escaleras de atrás, recoger un pequeño paquete para solo unos minutos más tarde volverlo a tirar desde su balcón entre las hierbas del patio.

Este comportamiento despertaba mi curiosidad, y un día me atreví recoger el pequeño paquete después que lo lanzó de su balcón, para ver qué contenía. Removiendo una tira de goma abrí una cajita azul de metal, y allí encontré una tapa común y corriente como de alguna botella de cristal, pero lo que tenía alrededor era un pinche de los que usan las mujeres en el pelo formando un pequeño mango, y la cual se notaba había sido expuesta a algún tipo de fuego por el hollín que tenía en la parte de abajo. La cajita también contenía un pequeño cilindro de vidrio alargado, el cual tenía bien atado en uno de sus extremos la parte de goma de un bobo que se usa para calmar los niños cuando lloran, y en el otro extremo una aguja hipodérmica.

No pude imaginarme para qué se podrían usar aquellas cosas, pero sí había visto en Puerto Rico como uno de los hijos de doña Santa que criaba gallos de pelea, usar algo similar para inyectar medicamentos a sus Gallos, ¡hasta el momento no había escuchado ningún gallo cantando por aquellos lares! Mi hermana que estaba al tanto de lo que sucedía, comprendió de qué se trataba, me hizo poner todo como estaba y tirar la cajita de nuevo al patio. Por la expresión de su cara me pude dar cuenta que el contenido de la cajita le había causado cierto tipo de pánico.

Hice como me indicó, pero pude notar que por unos días ella se mantuvo nerviosa. Supongo temía que el italiano se hubiese enterado de que ella sabía lo que contenía la cajita, y que pudiera haber algún tipo de represalia. Nada sucedió de aquel evento, pero yo nunca lo pude olvidar, pues mis instintos me decían que lo que vimos aquel día en la cajita, era de naturaleza seria.

Entrando el mes de Julio ya empezaba a salir solo a un parque que estaba cerca. Por bastantes días estuve visitando aquel parque, más no me atrevía hablar con los niños que vi allí por no saber inglés. Un día se me acercaron dos niños blancos y de alguna manera con lo poco que sabía, comenzamos a hablar y a jugar juntos.

Eran hermanos, uno como de trece y el otro como de doce años. Ambos tenían el pelo rubio y bastante largo como era la moda en aquel tiempo, sin embargo, siempre que los veía notaba que tenían la misma ropa de siempre, y lucían muy mal aseados. El olor que salía de ellos me decía que hacía bastante tiempo que no se bañaban, pero no dejé que eso me impidiera jugar con ellos. Después de todo ellos eran los únicos que conocía por ahora.

Un día aparecieron al parque con dos bicicletas y me dijeron que fuéramos a dar una vuelta. El mayor me montó en su bicicleta como pudo y nos marchamos con su hermano menor siguiéndonos. después de un rato llegamos un parque algo lejos de allí, el mayor me dijo que yo manejaría la bicicleta de vuelta a la casa. mientras tanto de adentro de un chaleco que llevaba sacó unas tenazas de cortar cadenas. Se acercó a una bicicleta que alguien había dejado allí, cortó la cadena que la aseguraba y mientras se montaba en ella y pedaleaba a toda prisa nos decía que lo siguiéramos.

Mi corazón volvió a latir fuerte. Ese sería prácticamente el segundo crimen en que me veía envuelto en mi vida, aparte de una vez que cuando niño en Puerto Rico le robé tres lápices a un compañero de escuela. Esto lo hicimos en varias ocasiones, y aunque sabía que no era correcto lo que hacíamos, esta actividad me emocionaba bastante.

Las vacaciones de verano llegaban a su fin, y yo esperaba el día que me dijeran que era tiempo de regresar a Puerto Rico. Pero nuevamente fui sorprendido con la noticia de que sería matriculado en la escuela de Cambridge, y que el próximo año regresaría a Puerto Rico.

La idea me agradó mucho, pues en realidad, aunque este ambiente era totalmente distinto al de Jayuya, y aunque sentía un grado de nostalgia por el suelo donde crecí, me gustaba la libertad que estaba experimentando. Acá por el momento me sentía diferente por alguna razón, y además no me llevaban a la iglesia. Para este tiempo no mucho me agradaba el tener que ir a la iglesia dos o tres veces a la semana como lo tenía que hacer en Puerto Rico.

Cambridge High Latín School, ese era el nombre de la escuela donde fui matriculado. Recuerdo que la persona que nos estaba ayudando en el proceso de la matrícula se llamaba Roberto Santiago, un puertorriqueño ya establecido en Estados Unidos por mucho tiempo, y que trabajaba "ayudando la comunidad Hispana" para aquel tiempo a través de una agencia llamada El Concilio Hispano de Cambridge.

Llegamos al precinto escolar, nos dirigimos a la oficina de matrículas y allí en un inglés que rápidamente noté era inferior al mío, aunque sólo llevaba allí unos meses, procedió a hacer los movimientos de matrícula. Cuando finalmente comencé el año escolar me di cuenta de que se me había matriculado para cursar el noveno grado, del cual me había graduado el año anterior en Puerto Rico. Esto me perturbó bastante, pues sabía que cuando regresara a la isla el próximo año, me iba a encontrar un año más atrasado que los estudiantes con los que me había graduado.

Según nos dijo Roberto, yo estaría en noveno solo por unos meses y después me colocarían en el décimo grado... los meses pasaron, y todo se quedó igual. "¿Cómo es posible que por la incompetencia de este supuesto líder de la comunidad tenga yo que perder un año escolar?", me preguntaba.

Traté lo mejor que pude para aprender el idioma y avanzar en las clases, pero se me hizo difícil. Cuando noté que no cumplirían con la promesa de adelantarme al año escolar que me correspondía, comencé a sentir gran resentimiento hacia aquel hombre. Después de un tiempo dejé de pensar en eso y me dediqué a tratar de encajar con los otros estudiantes latinos que conocí en el plantel.

Conocí cubanos, dominicanos y otros puertorriqueños. No fue mucho después, cuando los sentimientos que sentía en el río cuando veía que todos se desarrollaban menos yo, volvieron a atacarme. Esta vez fue cuando me tenía que duchar con los otros estudiantes después de la clase de educación física, y comencé de nuevo a sentirme inferior, pues todavía no me desarrollaba. El mundo de complejos que pensé se había quedado atrás, comenzaba a asomar su cabeza una vez más.

Aquellos primeros meses en la escuela me mantenían algo entretenido, pero sentía que la timidez empezaba una vez más a interponerse en mi capacidad de socializar. No pasó mucho tiempo cuando me di cuenta de que era el mismo niño tímido que siempre había sido. Si mi rendimiento académico había sido mediocre en Puerto Rico, aquí la cosa iba peor. Si las clases en español eran difíciles, en inglés eran incomprensibles para mí. Aun así, continuaba asistiendo a la escuela, pero pronto me conecté con varios niños que estaban tan frustrados como yo y con ellos me puse a cortar clases.

Después de varios meses en compañía de ellos también comencé por primera vez a experimentar fumando cigarrillos. Siempre se me había prohibido esto, pero ahora tenía más libertad y como muchos lo hacían, pensaba que de esa manera sería más fácil ser aceptado en aquel círculo de muchachos.

La casa de mi hermana quedaba en la calle River, muy cerca del Charles River en Cambridge, y recuerdo que cuando vi aquel cuerpo de agua, noté lo diminuto que era el río que atravesaba mi pequeño pueblo, y en el cual disfruté de niño. Pero, aunque este río era enorme, también así de enorme era la contaminación que había en él. Por todos lados se podían ver los rótulos donde se prohíba la pesca, o que se bañaran en él. Sus aguas eran de un color cenagoso y muy poco atractivo.

Aquel primer año fue uno sin mucha novedad. Solo me la pasaba de la casa a la escuela en la cual no entendía nada de lo que me trataban de enseñar, y esperando que me colocaran en el grado que me correspondía estar, pero eso nunca se materializó, y pasaba el resto del tiempo visitando las casas de mis hermanos. En varias ocasiones visité un área en la calle Columbia donde vivían algunos de los muchachos que conocí en la escuela. Cuando terminó el año escolar me sentía muy decepcionado, pues de regresar a Puerto Rico, sabía que todos los compañeros de escuela allí estarían en un grado más adelantado, y esto me causaba bastante angustia, aunque como siempre lo disimulaba y no le decía nada a nadie.

A finales de Julio del 1973 regresé a Puerto Rico como se había acordado. De vuelta en mi suelo natal me sentía algo extraño. Todo me parecía diferente, aunque solo hacía un año que había estado fuera de allí.

Para este tiempo contaba con quince años y medio de edad, y finalmente mi cuerpo empezaba a mostrar señales de desarrollo, pero para este tiempo había pasado tanto tiempo frustrado por esta parte de mi vida, que el notar mi cuerpo finalmente desarrollándose no cambió la manera que me sentía, o sea ya mis complejos en esa área estaban muy arraigados dentro de mí.

Comenzó el año escolar y rápidamente me empecé a asociar con los muchachos que cortaban clase para quedarnos en el parque, fumar cigarrillos y tomar vino barato. El haber estado en los Estados Unidos por un año me hacía sentir de alguna forma superior a aquellos muchachos con los que me reunía en el parque. La sensación que el zumo de la uva fermentada causaba en mí era liberadora, aunque también temporaria.

El jangueo y el corte de clases se hicieron rutinarios, y las pocas veces que asistí a clases lo hacía mayormente bajo los efectos del vino. El tiempo avanzó de prisa, y antes de darme cuenta estábamos en tiempo de navidad. Aquellas navidades sin embargo fueron muy diferentes.

En las otras navidades antes de viajar a Estados Unidos y para los años 60, la navidad era para muchos adultos, y seguramente para todos los niños la temporada más esperada. Éste era un tiempo alegre, un tiempo donde las manzanas, las uvas y el turrón seguramente llegarán a las casas dentro de la bolsa del aguinaldo navideño que los comerciantes acostumbran a enviar a sus clientes. Dentro de aquella bolsa seguramente también se encontrarían varias botellas de ron, o tal vez whisky para la cena navideña.

Por los barrios, se escuchaban en la madrugada las parrandas navideñas. Los músicos con sus guitarras y güiros, acompañando los trovadores de la música típica puertorriqueña. Siempre me intrigó como aquellos hombres podían llevar aquellas parrandas por uno, dos o tres días mientras se embriagaban y cantaban de la noche a la madrugada y de la madrugada a la noche.

Era impresionante escuchar algún cantor metido en un mano a mano mientras improvisaba décimas. Para aquel tiempo yo los escuchaba desde mi casa, mientras iban de una casa a la otra a son de música y canto. La idea era tratar de sorprender a los dueños de la casa y despertarlos a son de Música. Una vez les abrían la puerta, todos entraban y mientras los músicos seguían tocando, los trovadores metidos en tragos improvisaban como en estilo de comparsa. Los dueños de las casas les brindaban rones y golosinas. Después de un rato cantaban una canción de despedida, y se marchaban rumbo a otra casa con la parranda, donde darían lo que se conoce como "un asalto navideño".

Más en esta navidad a diferencia de las de antes, yo estaría unido a la parranda haciendo coro, y participando de los rones y golosinas. Al cabo de varias parrandas en las cuales participé me fui dando cuenta porqué la gente se miraba gozando tanto en aquellos jolgorios. El alcohol era en realidad el autor de toda aquella euforia, y fue más de una vez en la que la parranda terminó a golpes después que algunos de los participantes por no poder manejar el alcohol terminaban peleándose, en ocasiones con sus propios amigos.

Siendo todavía un novato en estas cosas, en varias ocasiones me emborraché al punto que, al igual como lo hicieron con aquel hombre que compartí mi primer viaje a Estados Unidos, también tuve que ser cargado a la casa.

El malestar que me causaba la resaca al otro día era bestial, aun así, cuando llegaba la oportunidad de volver a consumir licor lo volvía hacer convencido que esta vez no me embriagaría. El consumir alcohol y fumar cigarrillos era para nosotros algo así como si finalmente habíamos llegado a ser adultos, y las cosas de niño quedaban atrás. Hoy puedo ver como no fui yo el único que no recibió guía apropiada para ser encaminado a través de esa frágil parte de la vida de un varón, que es el dejar la niñez y convertirse en un hombre productivo y balanceado.

Fueron muchas veces, que bajo nuestra ignorancia y tratando de probar quién era más macho, tomábamos una botella de licor, y sin parar consumimos de ella lo más que podíamos y en el proceso por lo regular, el más macho terminaba bien borracho.

Pasadas las navidades, entrando a el año 1974 continúe faltando a clases, y divirtiéndome con el corrillo. Una tarde en el mes de abril de ese año, mientras compartía con uno de mis vecinos acordamos ir a robar unas gallinas. La idea era ir a la propiedad de Don Héctor Pérez, un caballero muy adinerado que criaba gallos de pelea. Nos habíamos enterado de que él había hecho un viaje a España, y que trajo de allá ejemplares para mejorar su línea de gallos. Decidimos de que, si podíamos apropiarnos de una de las gallinas que trajo de España, nosotros también podíamos empezar a criar gallos de buena raza.

Llevamos a cabo el plan y nos robamos una gallina a la cual le arrancamos el rabo, para que no fuese reconocida. Yo me hice cargo de llevármela a mi casa. Dos días más tarde, un sábado muy temprano en la mañana mi padre me despertó diciendo que afuera había una gente que querían hablar conmigo.

Cuando salí al balcón me topé con dos policías y el empleado de Don Héctor, quien tenía la gallina en sus manos. En ese momento deseé haber sido tragado por la tierra. Mientras un oficial me preguntaba de dónde yo había obtenido la gallina, Fabián el empleado de Don Héctor me enseñaba el pinche con que estaba marcada el ave. Yo traté como pude de mentir en cuanto a cómo obtuve la gallina, pero ellos no cayeron con la historia. Mi padre solo observaba y supongo esperaba que aquello era solo un error y que todo se aclararía... Minutos más tarde uno de los oficiales me esposó y procedieron a arrestarme.

Yo estaba en estado de shock, y nunca me he podido imaginar lo que sufrió mi padre ante dicha escena. Otra vez la vergüenza inundaba su mundo, otra vez tendría que ser señalado por el vecindario, mientras cargaba con su dolor...Por ser fin de semana no tenía derecho a fianza, unas horas más tarde me llevaron a él Campamento La Pica, allí estaría hasta el lunes para después ver a el Juez. Mientras me encontraba allí encerrado, otros presos que allí cumplían sus condenas se acercaban a la puerta de mi celda para preguntar por qué me encontraba allí. Algunos me hacían preguntas algo más íntimas pensando que tal vez yo terminaría en aquel sitio por un tiempo extendido. Yo con mis 16 años estaba aterrado de todo aquello, y temía por mi seguridad. Ese fue un largo día, y la noche mucho más. Cuando escuchaba algún ruido, pensaba que era alguno de los presos que venía por mí.

La próxima mañana mi padre vino a visitarme. Mientras me miraba a través de los barrotes, pude ver una vez más sus lágrimas de dolor escapando por detrás de sus oscuras gafas, mientras con voz temblorosa me preguntaba si me encontraba bien. Después de amonestarme, y culpar a los otros que me acompañaron en el robo por un rato, se despidió, y una vez más lo vi caminar cabizbajo y con todo el peso del mundo en sus hombros... ésta fue mi primera experiencia con la ley...el que yo cayera preso por ladrón tuvo que ser como poco devastador para mi padre.

Cuando regresé al barrio podía sentir las miradas de todos con gran peso sobre mí, y admito que sentí gran vergüenza. No mucho después me encontraba de nuevo en un avión de regreso a Cambridge, esta vez acompañado de mi padre. Supongo que él también quería escapar de los ojos y las murmuraciones del vecindario. No puedo decir que todos, pero uno que otro se deleitaba con los problemas de nuestra familia, y mucho más con el dolor de mi padre.

A finales de verano me encontraba una vez más matriculándome en la escuela superior de Cambridge, y una vez más en noveno grado. La escuela se convirtió en un club social y mi intención de asistir a ella no era para instruirme, sino para reunirme allí con los muchachos que había conocido en el viaje anterior, y con los que había hecho más amistad.

Para este entonces mi hermana María se había mudado de apartamento, y estábamos a solo cuatro cuadras de la calle Columbia, y de la Columbia Terrace, que era donde vivían la mayor parte de los muchachos con los que me juntaba. La mayor parte de las personas que allí residían eran del pueblo de Coamo en Puerto Rico.

Yo empecé a visitar aquel sitio para encontrarme con ellos después de la escuela. Cuando mi hermana se enteró, me dijo que no debía ir allí, que la gente de Coamo no se llevaba bien con la gente de Jayuya, y que lo más seguro que tarde o temprano iba a tener problemas en aquel lugar.

Esto me extrañó bastante y me preguntaba: "¿Cómo puede una gente que viene de la misma isla tener tanto odio el uno con el otro?" Me fui dando cuenta que lo que mi hermana me dijo era cierto, pero que esto era mayormente practicado por los adultos; los jóvenes no se preocupaban mucho de dónde venía uno u otro.

A mí por el momento no me molestaban, ni se me recriminaba el que yo viniera de Jayuya. Continué visitando mis amistades, y de vez en cuando escuchaba las anécdotas de sus hermanos mayores de cómo se habían enfrentado y peleado con un grupo de "Jíbaros de Jayuya" y lo mucho que los detestaban.

"Jíbaros" era el término que ellos usaban cuando se referían a las personas que venían de las áreas montañosas de Puerto Rico, y aunque hoy día decir que somos Jíbaros es un orgullo, para aquel tiempo y allí en la "Terrace", los Jíbaros eran terriblemente discriminados por muchos que eran oriundos de pueblos más grandes y "avanzados" en la isla. Aunque yo no había sido acosado por ser de Jayuya, trataba de no dejar saber a nadie de dónde venía en la isla, y así evitar confrontaciones.

Está de más decir lo difícil que eso era pues por lo regular, cuando conoces a alguien, una de las primeras preguntas que se hacen es: "¿Y tú de dónde eres?" El hecho de que me relacionaba con los muchachos más jóvenes me mantenía como dicen *bajo el radar* de los adultos que eran los que tenían aquella animosidad por los Jayuyanos. Más cuando los escuchaba hablar así de mis compueblanos, esto me causaba cierta incomodidad, después de todo mi familia venía de aquel pueblo donde la mayor parte de aquella comunidad consideraba eran seres humanos inferiores a ellos.

Yo mientras tanto y como podía, navegaba en aquella comunidad sin que se me pusiera mucha atención. Una vez más me encontraba en una situación donde no sabía a qué grupo pertenecía. Mientras escuchaba aquella comunidad criticar a los Jayuyanos por cosas como su forma de vestir, su forma de hablar, cómo caminaban y la música que escuchaban, entre otros, yo comenzaba poco a poco a también ver la gente de Jayuya a través de los ojos de aquel nuevo grupo con el que me estaba relacionando.

No puedo decir que era toda la comunidad, pero la enemistad entre los de Coamo y los de Jayuya era muy conocida por todos. Muy pronto me sentí parte de aquella comunidad, y pasaba la mayor parte

del tiempo que podía con mis nuevos amigos. Poco a poco fui conociendo y relacionando con sus familiares, y con otros que, aunque no
residían allí, frecuentaban el área como yo.

CAPITULO 4
CHANGUIRI

¡Cuando descubrí que mi verdad no era absoluta...
comencé a entender mejor a los demás!

Proverbio Jayuyano

Rubéns 1:19

EN EL VERANO del 1974 las cosas se movían muy rápido. En ese verano comencé a mezclarme más y más con los hermanos mayores de los muchachos que visitaba. También comencé amistad con las otras personas que venían de otros sitios a 'Janguear' en aquel sitio. Rápidamente comencé a practicar muchas de las cosas que ellos hacían frecuentemente. Ese verano fui introducido a la marihuana. Rápidamente me convertí en un fumador de marihuana habitual. De ahí en adelante prácticamente todo lo que hacíamos giraba en torno a fumarnos unos cuantos porros de marihuana. El alcohol en forma de vino o cervezas también era consumido regularmente. Comencé a vivir una vida prácticamente libre de preocupaciones.

Solo tenía que llegar a la Calle Columbia y seguramente allí encontraría alguien que gratuitamente me podría suplir marihuana y alcohol.

Desde niño siempre me atrajo la música, aunque nunca la practiqué. Para este tiempo yo estaba muy familiarizado, o por lo menos me gustaban bastante los ritmos afroantillanos, y ya me había aprendido algunas canciones en ritmo de salsa.

La primera canción que me aprendí fue una de la Sonora Ponceña titulada "Changuiri". Poco a poco me fui aclimatando, especialmente cuando estaba bajo los efectos del alcohol y la marihuana se me hacía fácil incorporarme a la rumba por medio del canto. La canción Changuiri era una que cantaba constantemente.

No sé en qué momento exactamente sucedió, pero pronto en vez de llamarme por mi nombre, todos me comenzaron a llamar Changuiri. Y yo muy casualmente comencé a responderles por mi nuevo nombre de calle. En realidad, haber sido bautizado con aquel nombre me hacía sentir mucho más parte de aquel grupo.

En ocasiones alguien me decía que tenía buen ritmo y voz para cantar en las rumbas, y esto me motivaba más a participar de ellas. Pronto me fui sintiendo importante, pues en ocasiones se me avisaba con anticipación cuando la rumba se iba a llevar a cabo para que estuviera presente. El poder participar, y el ser buscado para rumbear me daba a entender que sí tenía cierto talento para cantar, y aunque no me daba cuenta en aquel entonces, desafortunadamente me tenía que estimular con algo primero para dejar atrás el complejo de timidez que todavía me plagaba.

Cuando la Rumba se prendía, todo quedaba olvidado. Mientras interpretaba canciones de cantantes como Héctor Lavoe, Chamaco Ramírez, Justo Betancourt y otros; imaginaba que yo también era una de esas estrellas de la salsa que estaban en su apogeo para aquella época. Mientras me hacían coro cantaba y me sentía en un mundo, donde yo era el artista principal.

Algo que también me motivaba era el hecho de haber sido aceptado por este grupo aun cuando tenían aquella animosidad en contra de mis paisanos. En muy poco tiempo el nombre de Rubén quedó en el olvido, y todos me conocían solo por 'Changuiri'.

Como le había dicho a mi madre cuando era solo un niño que cuando creciera quería ser cantante, en muchas ocasiones pensé que un día mientras me encontraba cantando en alguna rumba, iba a ser descubierto por alguien que tenía lazos con orquestas o productores de música, y que mi sueño de ser un cantante famoso se cumpliría.

En una ocasión me uní a un grupito musical como cantante. Todo estaba listo, habíamos ensayado varias canciones y quedamos en tocar en una fiesta de jóvenes que se llevaría a cabo en el Concilio Hispano De Cambridge.

La noche de la fiesta me junté con varios amigos a fumar marihuana antes de la fiesta. Uno de ellos sacó de su bolsillo un tabaco de marihuana, lo encendió y procedió a pasarlo como era costumbre. Cuando llegó a mí comencé a fumar como en ocasiones anteriores. Prontamente alguien nos dejo saber que era tiempo de comenzar a tocar y que debíamos dirigirnos al Concilio. Solo estábamos a una cuadra y media del Concilio, pero por alguna razón sentía que el camino allí se hacía muy lejos. Aparte de eso mientras me dirigía hacia el Concilio, no sentía que mis pies estaban en contacto con la acera.

Me fui dando cuenta que este arrebato de marihuana era muy distinto a los arrebatos anteriores. Algo no andaba bien, pero no sabía lo que pasaba conmigo. Era de noche, pero las luces se veían tan brillantes que parecía que estaba de día. Estábamos en pleno verano, la temperatura estaba por lo menos a 78° F, sin embargo, empezaba a sentir un tremendo frío en el cuerpo.

Todo se sentía como en cámara lenta. Cuando finalmente llegué al Concilio me pareció que había llegado allí flotando. Una vez entre al local y escuché los muchachos afinando los instrumentos empecé a sentir cierto grado de temor, rápidamente me di cuenta de que me encontraba en un gran estado de pánico pues no podía controlar la nota que tenía. Me paré frente al micrófono, los músicos comenzaron a tocar, y cuando me tocó cantar no pude, pues no podía recordar la letra de las canciones.

Sentí la mirada de todos los que estaban allí caer sobre mí como una tonelada de ladrillos... Como la vez cuando tenía unos nueve años y me tocó dirigir el servicio de niños en la iglesia que pertenecíamos. En aquella ocasión comencé por dar gracias a Dios porque pudimos llegar al templo a pesar de que había llovido bastante. Mientras me desenvolví como podía en el púlpito, observé a dos damas que secreteándose se reían mientras miraban hacia mi. Rápidamente sentí la sensación de que se reían de lo que yo decía, seguidamente puse el micrófono en el piso, y salí del templo abochornado.

En la noche del Concilio también me sentí muy mal y me retiré de aquel sitio sin mediar palabras. Mientras caminaba a la salida sentí que todos me seguían mirando, y murmurando de mí. Me dirigí a casa de mi hermana todavía muy confundido por todo lo que me estaba pasando. Esa noche se me hizo muy difícil dormir, me sentía muy confundido y con sentimientos de persecución.

Unos días más tarde me enteré de que la marihuana que había fumado la noche de la fiesta había sido tratada con algo llamado 'Angel Dust' o 'PCP', una substancia que se conoce por sus propiedades de alterar la mente de una manera brutal, y que puede causar alucinaciones, coma y otros síntomas adversos como el querer suicidarse. Inclusive es conocido que una persona que use PCP, aunque solo una vez, puede años más tarde, y de repente sentirse bajo los efectos de la droga sin haberla vuelto a consumir; lo que se conoce como un 'Flash Back'.

Cuando me enteré de lo que había sucedido, recordé que esa noche mientras fumaba pude saborear algo diferente en la marihuana, pero no le hice mucho caso. Está de más decir, la mala experiencia por la que pasé esa noche. Luego también me enteré de que muchos otros habían experimentado malas experiencias con aquella droga al igual que yo. Esto me hacía sentir menos avergonzado por mi experiencia en el Concilio.

Aun así, y aunque no me gustó la reacción de la droga en aquella ocasión, volví en varias ocasiones a consumirla, pero esta vez voluntariamente. La reacción de euforia negativa de aquella droga nunca fue de mi agrado, más por hacer lo que otros hacían, la consumí en varias otras ocasiones, aun cuando se hablaba de algunos muchachos que frecuentaban aquella área, y que por haber usado aquella droga se encontraban en estados mentales algo dudosos.

Atrás fue quedando aquel verano que pensé nunca acabaría. Pronto llegó el otoño y conocí la vida de los 'After Hours', éstos eran centros clandestinos donde se vendía alcohol, se jugaban juegos de azar y se movía toda clase de drogas. Para este tiempo la interacción con mi familia era poca, no sé si ellos se daban cuenta de los cambios que iban ocurriendo en mí, o se daban cuenta y no se atrevían hablarme al respecto... me acostaba tarde y al otro día tan pronto me levantaba, me dirigía a la calle Columbia.

La vida de aquel niño tímido que tan solo unos años antes jugaba con mariposas se había convertido prácticamente en una fiesta continua. Para este tiempo se había puesto de moda otras drogas que también era alucinógenas, y eran, aunque no lo sabía en aquel tiempo, tan o más peligrosas que el PCP.

El ácido como le llamaban venía en un sin número de formas, tabletas, cápsulas, y una en especial que era producida en un laboratorio clandestino cercano, que llamábamos ácido de papel o LSD, por sus siglas en inglés. Otros nombres que se escuchaban era el window pain, orange sunshine, etc.

Todas estas substancias tienen la capacidad de alterar la mente de tal manera, que frecuentemente se escuchaban noticias de personas que, bajo los efectos de estas drogas, se lanzaban desde los techos de edificios convencidos de que podían volar, y que perdieron la vida, o se lastimaban terriblemente en el proceso. Éstas son las llamadas drogas psicodélicas de los años 70.

En muchas ocasiones escuché de casos donde personas que en un 'mal viaje' como se llama cuando el individuo no puede controlar la reacción de la substancia en su mente, y en un estado eufórico y de total descontrol, arremetieron contra cualquier otro ser humano, incluyendo padres, madres, hijos o cualquier otra persona, causándoles grave daño y en ocasiones la muerte. Más tarde algunos podían recordar y en su declaración describían cómo mientras en el viaje lo que ellos veían que los atacaba, era un monstruo, o a alguien que ellos pensaban les trataba de hacer daño. Todo porque esta droga los sacaba de la realidad en su totalidad.

También supe de personas de aquella comunidad que padecían de sus facultades mentales ya que en alguna ocasión habían experimentado con dichas drogas y ahora tenían problemas psicológicos. También otros que ahora estaban institucionalizados de por vida, ya que nunca pudieron regresar del viaje.

En realidad, no había límite de lo que una persona era capaz de hacer mientras estaba bajo la influencia de aquella droga. Uno de los enigmas más abstractos en cuanto se refiere al tema de la adicción de las drogas, o cualquier otra adicción es, ¿por qué es tan difícil que un individuo aprenda de los errores de otras personas que han experimentado en carne propia el fracaso usándolas? Esto es algo que confunde a la mayor parte de la sociedad. Por experiencia puedo decir, es que pensamos que a nosotros no nos va a suceder lo mismo que les sucede a otros individuos... pensamos que somos diferentes y que podemos usarlas sin tener que experimentar los mismos resultados.

Mi caso fue familiar al de tantos, pues aun habiendo oído aquellas historias, comencé a experimentar con el ácido. Tomándolo en pequeñas dosis sentía su efecto hasta cierto grado, en otras ocasiones las dosis fueron más fuertes y llegué a experimentar momentos de pánico por la reacción de dicha droga.

Algunas de las experiencias que experimenté fueron ver cómo el rostro de una persona se derretía hasta quedar irreconocible... También alucinando vi edificios que se movían como si estuviera pasando un terremoto.

En muchas ocasiones todo se ponía en cámara lenta y en otras a una velocidad increíble, y por estas reacciones, pronto me di cuenta, que, como todas las drogas anteriores, esta droga no era mucho de mi agrado, y más bien lo hacía porque en mi mente pensaba que eso era lo que se esperaba de mí por las personas con las que compartía.

Hasta ahora la mayor parte de las substancias que había probado, las había consumido voluntariamente, aparte del PCP, que se me dio la noche de la mencionada fiesta en el Concilio.

Siendo participante del programa de jóvenes auspiciado por el Concilio, me reunía con frecuencia en aquel establecimiento. Una muchacha cubana de nombre María era la que se encargaba de organizar actividades para nosotros. Este programa estaba dirigido a tratar de mantener los jóvenes del área ocupados en actividades sanas, y alejados de las cosas negativas como las drogas que plagaban la comunidad.

Muchos de los jóvenes que pertenecían al grupo auspiciado por el Concilio eran muchachos/as sanos, pero un grupo de nosotros ya estábamos usando drogas fuertes. Una tarde mientras nos preparábamos para salir a patinar como parte de una de estas actividades de recreación, un grupo de nosotros decidimos tomar acido 'LSD' para tripear o viajar - como le llamábamos - mientras patinábamos.

Unos minutos antes de montarnos en la guagua para salir, un muchacho decidió echar una dosis de LSD en la Coca Cola que María estaba tomando sin que ella lo supiera. María era una mujer que no consumía drogas, y aun si lo hubiese hecho ser drogado de esa manera, y con ese tipo de droga puede causar consecuencias catastróficas aun para una persona experimentada.

Un detalle que hacía esta situación aún más peligrosa era que María era la que estaría manejando la guagua donde iríamos todo el grupo esa noche. La reacción del LSD puede variar bastante de una persona a la otra. Aun en pequeñas dosis esta droga puede tener efectos muy desagradables, y mucho más si la persona es drogada sin ella saberlo como era el caso de María.

Nos fuimos acomodando en la guagua para salir, ese día éramos como unos 15 contando a María. Para este entonces yo comenzaba a sentir el efecto de la droga tomando efecto en mí y por el momento lo tenía bajo control. Una de las propiedades de esta droga y en especial el LSD era que se podía tomar la misma dosis en distintas ocasiones, y tener experiencias completamente diferentes. Según se comentaba esta droga la estaba supliendo un químico local, que la producía en un laboratorio clandestino. Supongo que la falta de control de calidad era lo que causaba que la droga se sintiera muy potente en ocasiones, y en otras no tanto.

María puso el vehículo en marcha, nos tomaría unos 30 minutos llegar a nuestro destino, seguramente para este tiempo María estaría sintiendo los efectos de la droga, y salimos rumbo al parque de patinaje. Para llegar a nuestro destino tendríamos que transitar la autopista, donde la velocidad mínima era de 65 millas por hora.

A mitad del camino, y transitando la autopista a alta velocidad, María comenzó a mostrar señales de que la droga estaba tomando efecto en ella, y pronto comenzó a hablar incoherentemente, en ocasiones aplicaba los frenos del vehículo de forma brusca, y parábamos completamente en medio del expreso, mientras comentaba que algo muy extraño estaba sucediendo con ella en ese día.

Yo, aunque me encontraba bajo los efectos del ácido, podía ver sus ojos reflejando cierto estado de pánico, seguidamente ponía el vehículo en marcha para unos minutos más tarde volver a aplicar los frenos y parar completamente en medio de la carretera. Algunos de nosotros estábamos al tanto de lo que sucedía, pero en nuestra ignorancia lo tomamos como un juego. Además, ya para este tiempo nuestro propio arrebato no nos dejaba entender lo grave de la situación, en que no solo se encontraba aquella joven cubana, si no también todos los que éramos pasajeros esa noche.

Es increíble que no sucedió algo trágico en aquella ocasión. Por mucho tiempo después, y en nuestra ignorancia hablamos del incidente de manera chistosa y sin ningún remordimiento. Mirando atrás puedo ver cómo yo y las personas con las que me relacionaba, comenzamos a jugar un tipo de juego de ruleta rusa, no solo con nosotros mismos, sino también con personas inocentes que llegaban a nuestras vidas. No puedo si quisiera imaginar la angustia que experimentó María aquella noche. Tal vez algo parecido a cuando me dieron a fumar PSP sin saberlo.

No mucho tiempo después dejé de ver a María en el Concilio, pero nunca me enteré por qué razón. Hoy en mi corazón, y 44 años después pido a Dios que todo esté bien con aquella mujer. Fueron varias las personas que fueron expuestas a aquella práctica, y para los que lo hacían era solo un juego mientras ponían en alto riesgo la salud de aquellos individuos, de los cuales algunos quedaron mentalmente atrofiados permanentemente.

La vida continuaba como de costumbre en la calle Columbia. Las rumbas, los juegos de azar, las peleas entre Jayuyanos y el corrillo de allí; en fin, todo aquello era la norma. Mi tiempo de estudiante había quedado atrás, ahora era uno más que no se graduaría de la escuela superior, pero esto no me preocupaba. No lo sabía entonces, pero me acababa de matricular en la universidad de la vida.

La rutina sería la misma cada día... levantarse tarde, llegar a la Terrace y comenzar una fiesta que nadie sabía exactamente cómo, cuándo, ni dónde terminaría; sin importar el día de semana que fuese. Mientras tanto la relación con mi familia era prácticamente inexistente, después de todo así había sido la mayor parte de la vida de acuerdo con como yo la percibía; además ahora tenía un grupo de personas con las que me podía identificar mejor y los cuales hasta me habían bautizado con un nuevo nombre 'Changuiri'.

Pensándolo bien, el nombre Rubén nunca me había sido atractivo, y hasta en eso muchas veces había envidiado a alguien anteriormente, y culpaba a mis padres por haberme dado un nombre tan feo. Cualquier otro nombre hubiera sido mejor que ese, aunque hoy estoy convencido que el nombre tenía muy poco que ver con lo que me pasaba.

Aunque caminaba, hablaba y me comportaba de una manera muy distinta, todos mis temores y complejos estaban a solo un pensamiento de distancia. Las drogas que usaba los mantenían algo calmados y eso me agradaba bastante, aunque como dije anteriormente no todas aquellas substancias me calmaban, al contrario, algunas como el PSP y el LSD magnificaban mis temores mientras estaba bajo sus efectos. Mi nueva vida como Changuiri continuaba su rumbo.

CAPITULO 5
PIEDRA CHINA

No estoy aquí para impactarte, si no más bien para ser impactado por ti/
ustedes eternamente. Dios depositó algo dentro de ti cuando te formó, que está
dirigido a mí... si no fuese así, ¡no nos hubiéramos conocido!
Más si en el conocerte puedo implantar lo que el puso en mi
para ti y ayudarte.... ¡entonces Amén!
Proverbio Jayuyano
Rubéns 1:61

SIEMPRE ME SENTÍ viviendo entre dos mundos, uno el mundo a mi alrededor y el otro, el mundo en mi cabeza. Nunca podía quedarme en uno de ellos, y en realidad era como si estuviera viviendo en un espacio entre esos dos mundos. Mi vida era algo así como la de un camaleón que tenía que cambiar su color de acuerdo con el medioambiente donde se encontrara.

Algo que siempre me molestaba, era que siempre me comparaba con los demás, y siempre percibía que todos se adelantaban mientras yo me quedaba atrasado.

Entrando a mis dieciocho años, todavía no había creado una imagen de qué quería para mi futuro. Recuerdo que de niño siempre se nos preguntaba qué queríamos ser cuando grandes; unos decían que querían ser policías, bomberos, electricistas, etc. Yo por mi parte nunca tuve un sueño como tal, la única vez que soñé con ser algo fue cuando siendo un niño le dije a mi madre que quería ser cantante, y aunque en ocasiones se me dijo que tenía talento para cantar, la timidez y el miedo de que me escucharan y criticaran nunca me lo permitieron. La experiencia que tuve en el Concilio no me ayudaba mucho.

Ahora bajo la influencia de unas cervezas y unos tabacos de Marihuana cantaba en las rumbas y aquel sueño volvía a renacer. Soñaba con llegar a ser uno de aquellos cantantes famosos como Héctor Lavoe, Chamaco Rodríguez, Cheo Feliciano y muchos otros de los cuales me aprendía sus canciones y trataba de imitar cuando soñaba en las Rumbas. Por el momento me sentía conforme con por lo menos tener participación de ellas, y me seguía imaginando que en alguna ocasión mientras cantaba en una rumba sería descubierto por algún promotor de música; el cual que me lanzaría al estrellato.

'Mi tiempo está por llegar', me decía mientras me imaginaba cantando en algún escenario frente a una multitud que me aplaudía. Viajando a lugares exóticos y disfrutando una vida plena. Una vez esto ocurriera podría sentirme completo, cuando estuviera en la cima todo cambiaría... eso pensaba mientras inhalaba fuertemente de un puro de marihuana. Entonces seré reconocido, así estaré al mismo nivel, o uno más alto de todo el mundo al que siempre consideré tenía que mirar desde abajo. Entonces regresaré a mi pequeño pueblo y haré mi entrada triunfal en caballo blanco... no podía esperar ver ese día.

En mi mente podía ver las pancartas anunciando mi llegada, tal vez recibiendo las llaves del pueblo de manos del alcalde, mientras el Cerro Puntas observaba orgulloso a quien antes había sido solo un insignificante niño, y que hoy regresaba triunfante. Me podía ver parado en la tarima de las fiestas patronales de mi pueblo, a las que nunca me llevaron cuando niño, deleitando a todos con mis canciones. Más allá el río que me vio desnudo, las montañas que exploré y toda la naturaleza de aquel sitio vibrando de alegría escuchando la música que salía de las bocinas que harían que mi voz retumbara a través de todos los rincones de aquel valle que me vio nacer. Aquel valle al que pensé no pertenecía, y que ahora tenía a mis pies.

De pronto regresaba a la realidad cuando alguien llamaba mi atención para que fumara del puro de marihuana que me estaba pasando. Así fueron pasando los días entre sueños, cervezas, puros de marihuana y vino barato.

Entrando el año 1976 seguía esperando el día cuando fuese descubierto, y se iniciara mi carrera artística. Un día del verano de este año, me encontraba con tres de los hombres con los que me juntaba a menudo, y uno de ellos sacó un sobre donde tenía LSD, y propuso que tomáramos un viaje - como se le llama en la calle - con dicha droga en aquel día.

Todos aceptamos y él nos pasó una dosis a cada uno. Tomamos la droga y mientras fumábamos marihuana, solo esperábamos a que tuviera efecto el 'Ácido' o LSD, esto tardaría de unos veinte a treinta minutos. Poco a poco empecé a sentir los efectos de la droga en mi cuerpo. Empecé a sentir en mi piel una textura de plástico, y mis pensamientos eran muy difíciles de controlar.

Mientras caminábamos hacia los proyectos donde uno de ellos vivía comencé a ver la carretera que ondulaba como si fueran las olas del mar. Siguiendo la marcha, sentía que los árboles del camino se lanzaban sobre mí como gigantes queriendo atacar para lastimarme. Mirando las caras de los que me acompañaban, veía como sus rostros se desfiguraban y luego regresaban a su forma normal.

Tocándome la cara sentí que mis manos traspasaban la piel y los huesos hasta que podían tocar el cerebro. Solo hacía unos diez minutos que la droga había tenido efecto, y ya comenzaba a sentirme muy descontrolado.

Una vez en el apartamento el efecto de la droga siguió tomando auge. Para este tiempo me encontraba sentado en un sofá, una de las pocas cosas en aquel apartamento, ya que la esposa de mi amigo, cansada de él y su uso de drogas lo había abandonado. En una ocasión recuerdo que sentía mi corazón palpitando fuera de control, y cuando miré mi pecho lo podía ver fuera de él.

Lo último que recuerdo es que estaba sentado en el sofá, pero ya no estaba dentro del apartamento. Mi mente, me hacía verme afuera flotando en el aire mientras miraba a través de las ventanas a mis amigos dentro llamándome y preguntándome qué hacía flotando afuera. De momento me volvía a ver dentro del apartamento, solo para volver a sentir que estaba una vez más flotando fuera de él.

Unos segundos más tarde, escuché un zumbido en la mente que se asimilaba a el sonido de la transmisión de un auto cuando patina, de ahí perdí la capacidad de ver, oír, hablar y todas mis capacidades motrices. Ahora me encontraba como me dijeron ellos más tarde 'perdido en el espacio'.

Cuando volví a recobrar el conocimiento, vi a mis tres amigos, y me di cuenta de que ya no nos encontrábamos en el apartamento de los proyectos. Ahora estábamos en el sótano de una casa abandonada, que se encontraba como a unas cuatro cuadras de los proyectos donde me fui en el viaje.

Mirando las caras de aquellos hombres podía ver, que se sentían muy aliviados de saber que les podía volver a ver, y que oía lo que me decían. Después de unos minutos ellos me contaron lo que había sucedido en aquellas últimas dos horas de mi vida. Según me relataron, unos minutos después de haber llegado a los proyectos empecé a tener un mal viaje. Ellos comenzaron a preguntarme cosas básicas; como de qué pueblo venía en Puerto Rico, cuál era mi nombre, cuántos años tenía, y que yo no les podía contestar. Para este tiempo solo llevaba unos treinta minutos bajo los efectos del ácido, y me quedaban como nueve o diez horas de viaje.

Después de tratar de hacerme recobrar la conciencia a través de preguntas sin ningún resultado, ellos empezaron a temer que yo no regresaría de aquel viaje. Las probabilidades de recobrar mis capacidades eran pocas. Entendiendo la gravedad del caso, decidieron de la mano, llevarme a la casa abandonada, y una vez allí aplicarme una fuerte dosis de Heroína, para ver si así podían contrarrestar el efecto del ácido, que me tenía en un estado sumamente crítico.

Cuando lo pienso bien se me hace difícil entender, como un joven de 19 años que solo cuatro años atrás nunca había ni siquiera probado un cigarrillo común y corriente, se pudiese encontrar en una situación tan adversa como aquella.

Mientras ellos me explicaban lo sucedido, pude sentir una sensación sumamente grata en mi cuerpo. Era como si por primera vez en la vida estuviera en realidad completo. Sentía un calor increíblemente agradable en la sangre, y una paz difícil de describir. Mientras me paraba de la silla perdí el balance, y le di con la frente a el mango de una nevera vieja que estaba frente a mí, y aunque sé que el choque fue duro por la marca que me di cuenta dejó en mi frente más tarde, no sentí ningún dolor por ello.

Mientras ellos me preguntaban si me sentía bien, miraba alrededor tratando de entender dónde me encontraba, el lapso que había pasado para mí que eran solo unos minutos, y en mi mente no podía entender cómo pude llegar a este otro lugar tan rápido.

Sobre una pequeña mesa que estaba cerca, pude ver unos instrumentos que prontamente reconocí, eran iguales a los que vi dentro de la cajita azul que recogí del patio de mi hermana y que pertenecían al italiano residente en el segundo piso unos años antes. Luego noté en mi brazo izquierdo un puntazo que anteriormente no había estado allí.

En mi nuevo arrebato pude deducir que aquella aguja al final de aquel cilindro de cristal, que también tenía la parte de un bobo en el otro extremo, era la responsable de la marca en mi brazo izquierdo. La sensación que sentía me tenía en un estado de éxtasis completo. Era como si finalmente había salido de mi crisálida después de haber estado atrapado en ella por diecinueve años.

Mientras salíamos del lugar podía inclusive sentir que mis pies por primera vez pisaban el mundo con certeza. Era como si por primera vez tuviera mis alas completas, y sentí una sensación de poder que nunca había experimentado. En ese instante sabía que quería sentir aquella sensación por el resto de mi vida.

Cuando salimos a la calle todo se miraba diferente. Vi algunas de las aves que había mirado a través de la ventana en la casa de mi hermana aquel primer día cuando desperté por primera vez en Estados Unidos, y esta vez las encontré algo atractivas, a diferencia a como las vi aquella primera vez.

Mirando a mis amigos sentí que ahora los miraba cara a cara, y no de abajo para arriba como en tiempos anteriores. La inferioridad, los temores, el sentirme no atractivo, la timidez, la pasividad y todo el sosiego que había sentido durante toda mi vida habían desaparecido como por arte de magia.

Hasta el sabor del cigarrillo que encendí mientras caminaba me pareció diferente. Era como si la transformación de niño a hombre que tanto tiempo había esperado finalmente había llegado. Para este tiempo contaba con unos cinco pies tres pulgadas de estatura y pesaba unas ciento veinticinco libras, pero la substancia que corría por mis venas me hacía sentir que medía seis pies y que pesaba doscientas libras.

Mientras caminábamos los muchachos me hablaban de qué tan grave ellos me habían notado, y lo tranquilos que se sentían ahora que me habían sacado del viaje. Mientras seguíamos caminando hacia la Terrace, comencé a sentir un fuerte picor en todo el cuerpo, pero mayormente en la nariz... ellos también se rascaban fuertemente sus narices, esto era uno de los síntomas que la heroína causaba en el cuerpo.

En el camino nos detuvimos en una pequeña tienda a comprar unos refrescos, comencé a tomarme el refresco y rápidamente comencé a devolverlo. Cada vez que tomaba un poco rápidamente lo devolvía, este era otro síntoma que causaba la droga, que hacía un rato me habían administrado.

Seguimos caminando y mirando a mi alrededor notaba todo diferente, era como si estuviera en otro mundo... y me agradaba más y más los efectos de la heroína en mí. 'Changuiri, ¿cómo está esa piedra China? (ese era el nombre de aquel tipo de heroína que supuestamente era oriunda de China)', me preguntó uno de ellos. Le dije que estaba muy buena, y le di las gracias por haberme sacado del viaje. Este fue otro día que se quedó conmigo para siempre.

El próximo día cuando desperté volví a sentirme igual que antes. El efecto de la droga había pasado, y todos mis complejos habían retornado y sentí deseos de volver a consumir para deshacerme de ellos. Pasaron varios días antes de tener la oportunidad de consumir de nuevo, y una vez más volví a sentirme completo bajo los efectos de la heroína.

El verano del 76 iba quedando atrás. Las primeras dosis de heroína fueron gratuitas, pero de ahora en adelante si quería consumir debería comprarla.

Para este tiempo todavía no estaba físicamente adicto a ella, y solo la usaba cuando conseguía algunos dólares. Según pasó el tiempo y buscando aquella sensación de liberación que me proporcionaba aquella droga, trataba de consumirla las veces que más podía. Para este tiempo tenía un trabajo a medio tiempo, pero el dinero que me pagaban, no me daba para comprar la droga como yo quería.

En una ocasión mis amigos me invitaron a hacer un 'tumbe' que consistía en robar en un apartamento. Yo fui con ellos, y vigilaba mientras ellos rompieron una ventana y entraron al apartamento.

En cuestión de minutos salieron con todo tipo de enseres electrónicos, y algunas prendas que rápidamente le vendimos a el dueño de una pequeña tienda que frecuentábamos. De ahí nos dirigimos a un punto de drogas y conseguimos heroína, aquello era fácil pensé yo, mientras aprendía cómo inyectar la sustancia en mis venas, ya que en las ocasiones anteriores alguien siempre lo hacía por mí.

Cada vez que dábamos un golpe bueno, el dinero me rendía para usar por unos cuantos días, después de todo como era un principiante la dosis que necesitaba era muy baja. La mayor parte de aquellas primeras veces hacia un 'Caballo', o sea juntaba mi dinero con otra persona, y con diez dólares comprábamos una bolsa de heroína la cual nos arrebataba a ambos.

El tiempo fue pasando y mi tolerancia a la heroína fue creciendo, pronto tuve que subir la dosis para poder sentir la misma sensación que antes sentía con menos cantidad de droga. Pronto comencé a hacer mis propios robos en las casas. Para este tiempo todavía vivía con mi hermana, y en algunas ocasiones me quedaba con prendas o efectos electrónicos producto de los escalamientos, más no recuerdo que alguien me preguntara en alguna ocasión, de dónde obtenía yo aquellas cosas.

Otro método por el cual aprendí a obtener dinero fácil fue a través del robo de cheques de 'Welfare', o sea cheques de ayuda del gobierno. Esto era muy fácil, los días primeros esperaba en alguna calle cuando pasaba el cartero, una vez se alejaba rápidamente buscaba en el buzón, tan pronto conseguía un cheque solo era cuestión de ir a la tiendita y vendérselo al dueño de la tienda por la mitad de lo que el cheque valía. Las maneras de obtener dinero se ampliaban, aunque a todo esto no me imaginaba la gravedad de los casos que podían ser formulados en mi contra, si la justicia me hubiese atrapado cambiando cheques de ayudas federales. En realidad, todo aquello parecía un juego.

Para la navidad del año 76 todavía mantenía el uso de la heroína bajo control, o por lo menos todavía no me afectaba mucho el cuerpo si hacía uso de la droga o no, aunque sí ya había oído a algunos de los muchachos hablar de lo mal que se sentían cuando no tenían ('la cura') o sea heroína para inyectarse, y se sentían enfermos. El año 76, el año en que entré a mi calvario (Aunque yo todavía no lo sabía) había terminado.

Mientras me seguía aclimatando a esta nueva vida con este grupo, empecé a notar que estas personas podían ser muy agresivas si el momento lo ameritaba. Fueron en más de una ocasión, cuando nos presentamos a alguna casa donde tenían alguna fiesta, a la cual no se nos había invitado, y una vez allí, después de un rato, observaba como mis amigos tomaban control del sitio cambiando la música que se estaba escuchando, sirviendo licor sin preguntarle al dueño de la casa, forzando en ocasiones a alguna mujer a bailar con ellos incluyendo a la mujer de la casa, y si alguien no estaba de acuerdo, prontamente tenía que vérselas con ellos.

Nuestra reputación dominante se dio a notar por toda el área, y recuerdo como muchos hombres fueron humillados en sus propios hogares cuando trataron de poner un paro al abuso que nuestro grupo cometía. En muchas ocasiones la fiesta no se acababa hasta que nosotros dijéramos, y hubo momentos donde los dueños de los hogares se retiraron a sus habitaciones dejando sus hogares a nuestra merced.

Aunque no lo expresaba, sentía lástima por aquellas personas que eran intimidadas por nuestra conducta, pero yo era partícipe de todo aquello, y poner resistencia a lo que sucedía no era una opción. Los hogares donde esto mayormente ocurría, era en las casas de los 'Jíbaros' como mencioné anteriormente, se les conocía a las personas que venían de sitios montañosos en Puerto Rico, y los cuales por sus costumbres no eran muy gratos a aquel grupo con el que yo corría. La razón por la que nos hacíamos presentes a aquellas fiestas era puramente porque allí había licor gratis. En ocasiones algún fulano que trató de oponerse a nuestras demandas fue agredido brutalmente, lo cual enviaba un mensaje a cualquiera que en el futuro tratara de hacer lo mismo. Supongo que muchos de los que fueron humillados, tuvieron que por mucho tiempo cargar con gran dolor el haber sido humillados en presencia de sus familias y amistades.

Para el 1977, la Columbia Terrace se había convertido en un gran punto en el trasiego de drogas. Allí se podía conseguir cualquier tipo de ellas, pero lo más que dominaba, era la venta de heroína. A este sitio empezaron a llegar gentes de todas partes en busca de la heroína. Allí llegaban personas caminando, en bicicleta, pero también empezaron a llegar personas en lujosos automóviles. Éstos mayormente eran los chulos que venían a buscar heroína para las prostitutas que ellos tenían trabajando en lo que se conocía como *el área de combate*, en las calles de la capital (Boston). Las limosinas eran muy lujosas, y en ellas estaba el chulo con sus mujeres.

El dinero que se movía en aquel sitio era increíble. Hacerle una venta a uno de estos clientes en limosina, podía fácilmente dejar una ganancia de 200 a 300 dólares en cuestión de minutos. Rápidamente noté como mis amigos comenzaron a lucrarse de aquel negocio, y comenzaron a adquirir carros, motocicletas, prendas y ropas muy caras. Todo el mundo quería aprovecharse de la oportunidad, después de todo, ¿quién quería irse a trabajar a una factoría por 250 o 300 dólares semanales, cuando eso se podía lograr en un día vendiendo heroína?

El dueño del punto era el hermano mayor de uno de los amigos que me sacó del viaje, y por este medio se me dio la oportunidad de ser uno de sus vendedores. Ahora no solo conseguía dinero mucho más fácil, sino que también tenía acceso a la droga cuando lo quisiera. Rápidamente comencé a experimentar lo que mis amigos estaban experimentando. Los clientes y el dinero fluían como si nunca se fueran a terminar. Mientras tanto, más y más personas se unían al trasiego de la droga... la clientela daba para todos por el momento. Yo mientras tanto comencé a usar la droga más a menudo.

En una mañana de primavera, desperté con síntomas parecidos a los síntomas que se sienten cuando llega un catarro. Me levanté, y administrándome una dosis de heroína noté que inmediatamente todos los síntomas desaparecieron. La debilidad en el cuerpo era total. Éstos eran los síntomas de los que mis amigos hablaban, cuando decían que estaban enfermos. Esta vez había cruzado la línea... ahora mi deseo por la heroína no era solo mental, sino que me encontraba físicamente adicto a la droga. La sensación de alivio fue instantánea, y gratificante. Para este tiempo el dueño del punto me daba media onza de heroína, la cual yo dividía en pequeñas dosis para la venta. Una vez tenía dinero suficiente, iba y buscaba otra media onza, y continuaba el negocio. Ahora era necesario administrarme una dosis todas las mañanas para no enfermarme, y poder funcionar.

Pasé todo ese verano vendiendo y consumiendo, prácticamente sin ningún problema. Había mucho dinero y suficiente droga para mantenerme tranquilo. Después de un tiempo, algunos de los que vendían, pero que no usaban la droga, fueron montando sus propios puntos, y el negocio se empezó a poner más difícil. Mientras se apoderaban de más y más clientes, se me hacía más y más difícil mover el producto. Ellos por no consumir, podían vender dosis más grandes, y heroína de mejor calidad, por la misma cantidad de dinero que la vendíamos los que consumíamos.

Para este otoño, era más lo que consumía, que lo que vendía, y comenzó el desfalco. Ya no conseguía dinero suficiente de las ventas para conseguir más heroína, y de nuevo tuve que recurrir a los escalamientos. Me convertí de proveedor a cliente, quien en muchas ocasiones a duras penas podía conseguir suficiente dinero para curarme. Ahora no podía ir a que me dieran droga para vender, pues tenía deudas pendientes con el dueño del punto. Las cosas se ponían muy difíciles. Todo lo que había adquirido a través de las ventas lo había vendido para mantener mi adicción.

En una ocasión otro adicto y yo, le robamos las llantas y aros a un automóvil, y las llevamos a su casa en los proyectos para esconderlas allí. La ruta que tomamos empujando las llantas nos llevó muy cerca del apartamento de mi hermana. Para este tiempo mi padre se encontraba residiendo con ella, y se pasaba constantemente mirando por la ventana hasta altas horas de la noche. El día después escuché a mi padre comentarle a mi hermana, como la noche anterior, había observado las siluetas de lo que parecían dos ladrones, que caminaban por la calle a toda prisa, aparentemente con unas llantas robadas. Yo solo escuchaba con cierto grado de vergüenza, como él iba describiendo lo que vio, y esperaba que en cualquier momento me confrontase, y preguntara si yo era uno de los ladrones, pero nunca lo hizo. Pienso que sus gafas oscuras, y las sombras de la noche, no le permitieron identificar, que uno de aquellos ladrones, era su hijo menor. O tal vez por su pasividad, o por no querer saber la verdad... nunca me habló del tema. ¡La respuesta a esto nunca la conoceré!

Las hojas de los árboles comenzaron a desprenderse de ellos. Las aves se podían observar en lo alto haciendo sus migraciones a sitios más cálidos. Los vientos invernales comenzaban a sentirse mucho más fríos a través de las ropas. La nieve de aquel invierno estaba solo a unos días de comenzar a caer y pintar todo el paisaje de blanco. Me fui dando cuenta de lo difícil que resultaba salir a robar y conseguir dinero en esta temporada. El 18 de diciembre, día de mi cumpleaños desperté enfermo, salí a la calle, y después de muchas horas tuve que regresar a la casa sin haber podido conseguir la cura. La debilidad que sentía me obligó a meterme en la cama tan pronto llegué.

Para este tiempo, vivía en un apartamento que mi madre tenía en unos proyectos de vivienda pública. Allí también Vivian mi hermana Elisabeth, su esposo Gary y sus niñas pequeñas. Estoy seguro de que para este tiempo ellos sospechaban que yo no solo estaba consumiendo marihuana, y que lo que estaba usando, me tenía fuera de control. Aquel día me quedé dormido por unas horas. Cuando desperté, me encontraba bastante enfermo, y sin ninguna esperanza de poder conseguir heroína para curarme.

Esa noche pude dormir por ratos, cuando despertaba me daba cuenta de que estaba sudando de una manera profusa. En las rodillas sentía como si tuviera algún tipo de gusanos caminando dentro de ellas. Por ratos sentía el cuerpo muy caliente, y luego sentía unos escalofríos terribles. Me encontraba rompiendo mi primer vicio en frío. Los próximos cinco días fueron un infierno. Estuve encerrado en el cuarto todo este tiempo, sin siquiera tener suficiente ánimo de levantarme de la cama a bañarme. El apetito lo había perdido.

Mi madre sin saber lo que me ocurría, en ocasiones entraba al cuarto con algún alimento que había preparado, para ver si quería comer, pero yo no podía. En una ocasión me preparó un té, pensando que lo que yo tenía era solo un fuerte catarro, y que el té me iba a mejorar. Cuando yo rehusaba tomarlo, se marchaba, y podía notar la angustia en su rostro. Seguramente cuando salía de mi habitación, se dirigiría a la de ella y se postraría de rodillas para pedirle a Dios que me sacara de aquella situación. Mi madre siempre demostró una fe que hasta este día no he podido encontrar en ningún otro ser humano. No fue hasta el día de navidad que pude sentir mi cuerpo volver a la normalidad. Mientras la familia intercambiaba regalos en la sala, me levanté con la poca energía que tenía y finalmente tuve deseos de darme un baño. Una vez en el baño, me miré al espejo, y pude entender por qué mi madre se notaba tan angustiada. Aquellos cinco días habían reducido a su hijo prácticamente a un cadáver. Mi madre preparó una sopa, y por primera vez en cinco días pude comer algo. Luego regresé a la cama, y estuve allí otros tres días recuperándome.

Cuando terminaba el invierno, y ya bastante recuperado, el hermano mayor de mi amigo me confió otra media onza de heroína, y comencé de nuevo a pedalear. No mucho después comencé a consumir de nuevo, pero con más cuidado pues todavía tenía muy fresco en mi mente el recuerdo del calvario que había pasado durante la navidad. Unos meses más tarde me llevaron preso en una gran redada, y se me radicaron cargos de posesión y distribución de narcóticos. Temiendo que se me sentenciara a cumplir tiempo en la prisión, compré un boleto de avión, y regresé a Puerto Rico.

Para este tiempo mi padre se encontraba de nuevo en la isla, y me preguntó si podía ayudarlo en una plantación de tomates, que estaba planeando sembrar en un terreno propiedad del esposo de mi hermana Matilde. Acepté... Aquella sería la primera vez que mi padre y yo haríamos un proyecto juntos. Para conseguir dinero comencé a vender marihuana, y entre la gente que iba conociendo, conocí uno que sabía dónde comprar heroína en otro pueblo. Tan pronto tuve la oportunidad, fui con él a buscar unas cuantas dosis, y comenzó mi consumo de heroína en Puerto Rico. Como no generaba mucho dinero, solo la podía consumir esporádicamente. Mientras ayudaba en la plantación de tomates, se me ocurrió sembrar 20 matas de marihuana en un terreno adyacente al de mi cuñado.

Mientras esperaba que las plantas crecieran, continuaba tratando de ajustarme una vez más a la vida de mi pequeño pueblo. Esto se me hacía difícil, después de haberme acostumbrado a la vida en Estados Unidos. Ahora y a esta edad no podía perderme en las cercas donde mantenían el ganado, y buscar huevos de mariposas para aislarme de todo el mundo. Una de las cosas que más me perturbaba era ver como la mayor parte de los muchachos con los que compartí en la escuela, tenían vidas muy productivas. Muchos después de haber continuado sus estudios se habían casado, tenían buenos trabajos y se encontraban en posiciones que yo envidiaba. Estas diferencias, volvían a hacerme sentir celos de ellos, y de forma pasiva me resentía con ellos disimulando mis sentimientos.

Para este tiempo no éramos muchos los que usábamos heroína en Jayuya. Las drogas no eran muy populares en estos lares, aunque el uso de la marihuana se hacía cada vez más común. Conocí unos cuantos más individuos que también usaban heroína, y las oportunidades de usar la droga crecían. En una ocasión mientras compartía con un grupo de muchachos fui introducido al 'Thinner'. Esto es un químico que se usa mayormente en los talleres donde se pintan automóviles. Este líquido tiene propiedades que al ser inhalado produce reacciones muy adversas. Aprendí a mojar un pedazo de tela con el líquido, ponerlo dentro de una bolsa de papel, e inhalarlo. El inhalar Thinner me producía una sensación muy diferente a todas las drogas que anteriormente había usado, y aunque no me gustaba el sabor y el olor a químicos que dejaba en mi paladar, el arrebato que me producía me encantaba. El 'Thinner' era muy barato, y muy fácil de conseguir. El uso de esta substancia se hizo cada vez más frecuente. En cualquier momento, o cualquier hora del día podría aparecer alguien con una lata de 'Thinner', y casi siempre dejaba lo que estuviese haciendo para irme a oler. Fueron muchas las ocasiones que perdí el conocimiento mientras me encontraba oliendo. Mientras estaba sin conocimiento recuerdo que tenía sueños muy extraños. El oler 'Thinner' se hizo muy popular con un grupo en el barrio donde vivía. A algunos de ellos los fui introduciendo a la heroína, y el grupo de usuarios a la heroína creció.

En medio de mi doble vida conocí una muchacha y por primera vez tuve suficiente valor para pedirle a una chica que fuese mi novia. Aunque ya anteriormente había estado con algunas mujeres cuando me encontraba en Estados Unidos, esta vez era diferente. A esta chica la tuve que perseguir por bastante tiempo antes que ella me aceptara como su novio. Comencé a visitarla en su casa, esta joven vivía con su mamá y eran una familia humilde... el noviazgo se hizo oficial. Me sentía muy bien, pues esa parte de mi vida parecía normalizarse, y ya no tenía que envidiar a los otros que tenían sus parejas. Ella en su ingenuidad, no sabía en realidad el tipo de hombre del cual se había enamorado.

En una ocasión mientras la visitaba, me preguntó qué era aquel fuerte olor a químicos que salía de mi boca, mintiendo le dije que en esos días había estado ayudando a un amigo en su taller de pintura, y que habíamos estado diluyendo la pintura con Thinner. Ella confió en mi respuesta, y nunca más se tocó el tema. Después, en muchas ocasiones decidí no ir a visitarla como había quedado, porque recientemente había olido Thinner, y temía que tarde o temprano se diese cuenta que la respuesta que le había dado antes era una mentira. El tener que mentir constantemente continuaba siendo gran parte de mi vida.

Para finales del verano de 1978 mi madre había regresado de los Estados Unidos. Una noche después de haber estado oliendo, llegué a la casa, me senté en uno de los sillones en la sala y de pronto podía oír a mi madre hablando, y aunque había luz en la sala, no podía ver a mi madre. Ella notó que algo raro me ocurría, y me seguía preguntando si me encontraba bien. Después de unos minutos recobré la visión, y le aseguré que todo estaba bien. Ella se marchó a su habitación, seguramente con el corazón hecho pedazos al ver a su hijo en aquellas condiciones una vez más. Mientras me retiraba a la mía, respiraba con alivio pues ya podía ver de nuevo... no me había dado cuenta de que había experimentado un 'Flash Back' a causa del ácido que había tomado varios años atrás.

Entrando el otoño del mismo año, hice varios escalamientos en el vecindario, para así conseguir dinero y comprar heroína. Ya había cosechado la marihuana que había sembrado cerca de la plantación de Tomates, y solo esperaba que estuviera lista para vender. El buscar dinero fácil ya era parte de mí. En realidad, también estaba adicto a la adrenalina que corría por mi cuerpo cuando hacía un escalamiento, y lo lograba sin que se me atrapara. En esos mismos días una persona conocida me presento dos individuos que buscaban comprar unos 'Tabacos' o cigarrillos de marihuana. Se los conseguí por medio de otro individuo que vendía en el barrio, y se marcharon tranquilos. Unas semanas más tarde volvieron a llegar los dos tipos, esta vez buscando treinta tabacos de hierba. Para entonces mi marihuana estaba lista y procedí a venderles los treinta tabacos.

En estos días se celebraba en el pueblo el festival indígena, este festival atrae gentes de muchos y lejanos lugares por su fama. Mientras caminaba por la plaza del pueblo cogido de la mano con mi novia, en medio de la multitud pude localizar a los dos individuos a los que hacía unos días les había vendido la marihuana. Ellos también notaron mi presencia, y mientras caminaban en sentido contrario y muy cerca de mi novia y yo, se sonrieron conmigo. Mientras se alejaban miré hacia atrás y vi al más trigueño que me sonreía. No sé porque razón, pero un instinto me alertó que aquellos individuos no eran lo que yo pensaba que eran. Algo dentro de mí me decía que aquellos dos eran agentes encubiertos. El pánico se apoderó de mí, rápidamente le dije a mi novia que nos fuéramos de aquel lugar pues no me sentía bien. El próximo día compré un boleto de avión para regresar a Boston. Le di la noticia a mi novia que me marchaba a Boston, y ella estaba sorprendida, pues yo no había hecho planes de viaje y me preguntaba el porqué de aquella decisión tan inesperada. Las próximas dos noches dormí fuera de mi casa en la residencia de unos vecinos, estaba seguro de que en cualquier momento la justicia vendría por mí, como lo hicieron unos años atrás con el caso de la gallina. Pero esta vez las cosas eran más serias, para este tiempo los tiradores de droga en Puerto Rico eran tratados duramente por la justicia.

Unas semanas después y ya de regreso en Boston, recibí una carta de mi novia en la que me decía, que ahora entendía porque me había marchado tan de prisa, dentro del sobre también había un recorte del periódico El Vocero, con una lista de todos los individuos que fueron apresados en una gran redada de drogas, que había sido llevada a cabo en el pueblo de Jayuya. Mi nombre, aunque no era uno de los arrestados se encontraba en la lista. Ahora me encontraba no solo prófugo de la justicia en Puerto Rico, sino que me encontraba de nuevo en Boston, donde tenía una orden de arresto pendiente por posesión y venta de heroína. Las paredes de mi mundo se iban cerrando cada día más. Me enteré más tarde de que la noche de la redada, mientras los agentes entraron en la residencia de mis padres, ellos preguntaban por mí; mi padre muy asustado por toda aquella conmoción les decía que yo no me encontraba allí, pero ellos de todas formas buscaron en todos los rincones de la casa pensando que tal vez él les mentía al respecto. Aunque nunca me lo expresaron, no puedo imaginar el dolor que tuvieron que experimentar los corazones de mi padre y mi madre en aquella noche. Mi novia, sin embargo, me confesó el dolor que no solo ella, sino también la angustia que toda su familia experimento por mi culpa... especialmente su mamá, la cual me tenía un gran aprecio.

Unos días más tarde mi madre, tal vez por vergüenza también regresaba a Boston. Para este tiempo, me encontraba haciendo lo único que sabía hacer, escalamientos, vender drogas y usando heroína de una manera descontrolada. Me fui a vivir con ella, y allí fue donde creo, que ella realmente pudo ver el infierno en el cual su hijo se había metido. Mi consumo estaba en un punto donde no podía decidir por mí mismo. En varias ocasiones ella encontró las agujas hipodérmicas que yo utilizaba para inyectarme. Imaginar el dolor que pudo haber sentido ella, cuando encontraba estas cosas, hasta este día se me hace muy difícil. Supongo que solo su fe en Jesús podía aliviar aquel dolor. Pero sé que, como cualquier ser humano, sintió el más terrible dolor que alguien pueda haber sentido. Yo mientras tanto no podía ver la angustia que todo esto le causaba. Dentro de mí había algo que me decía que no la siguiera hiriendo, y en su rostro podía notar algo parecido a lo que vi muchos años antes cuando ella gemía por la muerte del presidente, pero la necesidad de llenar los vacíos de mi corazón con las drogas era más fuerte. No podía, aunque quería, parar todo aquello... Me encontraba a merced de la droga. La heroína se había apoderado de toda mi vida... ya no tenía voluntad propia.

Durante este tiempo mi hermana Elizabeth, su esposo Gary y sus dos niñas muy pequeñas, Samantha y Amanda tuvieron que venir a vivir al apartamento de mi madre, por problemas de vivienda. Yo estaba una vez más vendiendo heroína para poder costear mi adicción. En una noche mientras todos menos mi cuñado y yo dormíamos tocaron la puerta del apartamento. Miré por el pequeño orificio en la puerta y noté que era uno de mis clientes regulares. Cuando quité el seguro de la puerta para atenderlo sentí que alguien empujó la puerta violentamente, y en el proceso caí al piso. No me había percatado que junto al cliente venían dos tipos más que se habían escondido para no ser detectados... esto era un atraco. Rápidamente mientras uno de ellos puso una pistola en mi cabeza, otro hacía lo mismo con mi cuñado Gary. El tercero buscaba en mis bolsillos removiendo unos cuantos paquetes de heroína y dinero, mientras me preguntaba que dónde estaba el resto de la droga. Yo traté de convencerlos de que solo tenía lo que ellos encontraron en mis bolsillos, pero ellos no me creyeron. Mientras uno de ellos buscaba por todos los rincones sin encontrar nada, noté que se dirigía a la habitación donde dormía mi hermana con las niñas. En ese momento temiendo lo peor, pues me di cuenta del peligro que todos corríamos, le indiqué que el resto de la droga se encontraba escondido detrás de la estufa. Ellos tomaron la droga y se marcharon. Está de más decir el peligro al cual expuse mi familia aquella noche. Aun así, lo más que me preocupaba, era cómo le iba a decir a la persona que me había dado la droga para venderla, que había sido víctima de un atraco y que no tenía ni droga ni dinero para responder a mi deuda. Cuando finalmente hablé con el dueño de la droga, éste no creyó la historia y no me quiso confiar más heroína para vender. Por la adicción tan fuerte que tenía, tuve que comenzar a escalar apartamentos y tiendas una vez más para poder conseguir dinero y así mantener mi adicción a la heroína. Sabía que tarde o temprano sería atrapado por la ley, y el caso que tenía pendiente por el cual me había fugado a Puerto Rico anteriormente, una vez más saldría a relucir.

CAPITULO 6
SOLDADO SIN RUMBO

Busca la sabiduría y no el intelecto, el intelecto es humano,
¡la sabiduría es divina!

Proverbio Jayuyano

Rubéns 1:65

DURANTE EL VERANO del año 1979 alguien me informó que, ingresando al ejército de los Estados Unidos, podía deshacerme, no solo del caso que tenía pendiente aquí, sino también el de Puerto Rico, ya que pasaría a ser propiedad del ejército federal, y de ahí en adelante la ley civil no podría tocarme. Como cualquier adicto buscando la manera más fácil de bregar con los problemas de la vida, me dirigí a una oficina de reclutamiento. Después de una breve entrevista con uno de los oficiales que reclutan, éste me informo que lo único que me evitaba entrar al ejercito era la falta de un diploma de cuarto año, pero que, si conseguía un diploma de equivalencia, me podía enlistar. Pronto me matriculé en un curso donde obtuve mi equivalencia de cuarto año. Mi madre, y el resto de mis hermanos se alegraron grandemente al oír la noticia. Para octubre de ese año me encontraba en un avión rumbo a las instalaciones del fuerte militar Knox en el estado de Kentucky, allí empezaría mi carrera militar, y lo que todos pensaban era lo que necesitaba para que mi vida cambiara. Esta sería la primera vez que me encontraría en un lugar lejos del contacto de toda la familia.

Cuando llegué al Aeropuerto de Kentucky, pude ver una flota de autobuses militares que esperaban todos los reclutas nuevos. Nos fueron dirigiendo a los autobuses de una manera muy organizada y calmada. Mientras nos bajábamos de los autobuses, una vez ya en las instalaciones del fuerte, todo cambió de tono. Por dondequiera había soldados gritando, y diciéndonos que éramos una bola de inútiles, y hacia donde teníamos que dirigirnos, y si nos equivocábamos más nos gritaban. Yo me sentía como una cucaracha en un baile de gallinas, como dicen por ahí. Cuando finalmente todo se calmó, nos encontramos en formación militar frente a un coronel de aspecto muy rudo quien nos informaba, gritando hasta lo más alto de sus pulmones, que de ese momento en adelante él era nuestro dios, y que le perteneciamos a él. Que ni siquiera podríamos ir al baño sin su permiso, y que él era nuestra madre, nuestro padre, y en fin que nuestras vidas le pertenecían. En esos momentos me sentí algo enfermo del estómago, pero sabía que no era todo aquel drama que sucedía a mi alrededor lo que me hacía sentir así, y aunque me sentía muy nervioso por todo lo que estaba pasando, me di cuenta de que me sentía enfermo pues hacía ya casi 24 horas desde la última dosis de heroína. Esto se puso peor según fueron pasando las horas.

Los primeros días de mi estadía en el ejército los pase en el hospital siendo tratado por lo que todos creían era un fuerte catarro. Gracias a Dios el último tiempo que estuve consumiendo antes de llegar a Kentucky, fue uno de uso leve y no sufrí los estragos de una enfermedad por la droga más profunda. Saliendo del hospital se me asignó una compañía, y comencé mi entrenamiento básico. El entrenamiento, y el paso agitado con el que nos llevaban no me daba tiempo para pensar en las drogas. Nos levantaban a las 5 de la mañana, y no nos soltaban hasta las 9 pm. En el poco tiempo que tenía libre le escribía a mi madre sobre lo que estaba experimentando, y le dejaba saber que estaba bien. Sus oraciones por mi aparentemente estaban siendo oídas y contestadas.

Después de seis semanas de entrenamiento físico, me gradué del básico y comencé a ser entrenado como mecánico de tanques de guerra. Le envíe una fotografía vestido en mi traje de gala militar a mi madre, el cual ella muy orgullosa puso en una de las paredes de su casa. Imagino con cuánto afán ella se dirigía a las personas cuando la visitaban y le preguntaban cómo me encontraba. Más no imagino cuántas veces, tal vez se paró frente de aquella fotografía llorando, y en su oración, pidiendo a Dios que me siguiera cuidando. Aquellos eran momentos de tranquilidad para ella, mis hermanos, y amigos de la familia que, para este tiempo, muchos ya se habían enterado del mal que me acosaba, y lo mucho que ella sufría por mi adicción a las drogas.

Esos primeros meses en el ejército pasaron muy deprisa. Cuando me vine a dar cuenta, ya me estaba graduando de AIT, que fue el entrenamiento que obtuve para desempeñar el trabajo de mecánico de tanques de guerra en las fuerzas armadas. Una vez termine esa parte del entrenamiento, se me dieron órdenes para reportarme a el fuerte Riley en Kansas, que sería mi primera estación de servicio. Para este entonces me encontraba en una condición física como nunca en mi vida. Mis calificaciones en el entrenamiento básico, y seguidamente en AIT, también fueron bastante buenas. Llegando a el fuerte Riley, fui instalado en una temporera de recepción hasta que me asignaron a un batallón permanente. En este sitio conocí un sargento de apellido Acevedo, con el cual hice amistad. Pronto me dejó saber que él usaba heroína, y con él hice los contactos para conseguir la droga que, aunque físicamente no necesitaba en ese entonces, sí la necesitaba emocionalmente. El paso militar ahora era más relajado, y una tarde fuimos y compramos unas cuantas bolsas de heroína. Ahora estaba completo, tenía una carrera militar, la justicia civil no podía tocarme, y encima de eso tenía acceso a la droga que me liberaba. Qué más podía pedir.

Unos días después se me asignó a un batallón. Una vez allí conocí otros puertorriqueños y comenzó una fiesta que parecía nunca iba a terminar. No deseo ponerme en pedestales, pero en lo que jugar a ser soldado se trataba, yo era muy bueno. Mis uniformes siempre estaban impecables, mis botas parecían espejos, y mi trabajo como mecánico era intachable. Esto era todo lo que se esperaba de mí para ser un buen soldado, pensaba yo... y por el momento así era. Fui adaptándome a la vida militar según la llevaban mis nuevas amistades, y me gustaba aquel movimiento. Me mantenía tranquilo durante la semana, pero una vez llegaba el fin de semana, comenzábamos a beber, fumar marihuana, y en mi caso a buscar unas cuantas bolsas de heroína para seguir la fiesta de viernes hasta tarde los domingos. Los lunes, aunque algo estropeado, todavía tenía vitalidad para realizar mis labores. ¡La vida continuaba viento en popa!

Para mediados del año 1980, conocí una dama. Ella se convirtió en una dama muy especial. No lo sabía en aquel entonces, pero a diferencia de cualquier otra relación que hubiera tenido previamente, mi relación con esta dama perduraría por mucho tiempo... La dama que conocí siempre estaba vestida de blanco. Esta dama se apoderaba de mi mente, mi alma y mi corazón... ¡La dama que conocí llevaba por nombre 'cocaína'! Y esto al igual que la heroína, ¡fue amor a primera vista!

Mezclada con la heroína en lo que se conoce como un 'Speedball', esta droga tocaba rincones en mi alma que nunca habían sido tocados. La euforia que sentía cuando mezclaba la heroína con este mi nuevo amor, no se comparaba con nada que anteriormente hubiera experimentado. No había dolor, ni defecto de carácter que esta combinación no pudieran vencer. Cuando pensaba que ya estaba completo, llegó la cocaína, y me remontó a un universo que jamás pensé llegaría. El efecto es difícil de describir, aun para mí que viví la experiencia en carne propia. La heroína, pensé me ayudaba en la liberación de todos aquellos defectos de carácter que traía de toda la vida. Ahora en conjunto con la cocaína completaba la formación de mis alas, las que elusivamente había buscado desde que tenia memoria.

Durante todo este tiempo mantenía una relación a distancia con mi novia en Puerto Rico. Ya habíamos hablado de casamiento, y ella esperaba el día que esto se cumpliera. Ella al igual que mi familia pensaban que mis días de uso de drogas habían quedado en el pasado. Los próximos siete meses fueron prácticamente un nubarrón en mi mente. Algo que sin embargo recuerdo muy claro es, el nombre de una joven que conocí mientras me encontraba en las afueras de una discoteca en un pueblito llamado Junction City, que estaba en las afueras del fuerte militar. Mientras me fumaba un cigarrillo en las afueras del local, conocí a Marta Garrido. Ella era una mujer joven, rubia, ojos verdes y muy atractiva. En cualquier otra circunstancia lo más probable hubiera sido que no entablara conversación con ella, yo no sabía en aquel entonces, porque le tenía miedo a las mujeres de pelo rubio. Charlamos un rato, me facilitó su número de teléfono, y después de unas charlas por teléfono, entablamos una amistad romántica. Marta recientemente se había divorciado, y era la madre de dos niños pequeños.

Después de unos meses de amistad, me fui a vivir con ella y sus niños en su apartamento. No tardó mucho en que ella descubriera que yo era un consumidor de heroína y cocaína intravenosa. En una noche mientras ella dormía, me encontraba en la sala consumiendo, no me había percatado que ella se había levantado, y cuando entró en la sala me encontró con la aguja hipodérmica clavada en el brazo. Esto, aunque fue fuerte para ella, no la llevó a romper la relación. Según pasó el tiempo seguí consumiendo, y no sé porque, ella seguía en la relación conmigo. El dinero que generaba todo lo gastaba en fiestas, en drogas y alcohol. Un día cuando regresé de unos entrenamientos que me habían mantenido fuera de la casa por varios días, llegué y no la encontré en la casa. Llamé una amiga, la que me dijo que Marta le había dejado los niños en su cuido, y había salido a divertirse. Me administré una dosis de heroína, y salí en busca de ella. Mientras manejaba mi mente se iba contaminando más y más con celos, y lleno de rabia llegué a un *night club* donde la encontré. Después de preguntarle qué hacía en aquel lugar, y sin ella terminar su respuesta, arremetí contra ella pegándole fuertemente en la cara. La tomé de sus bellos y rubios cabellos, y como un animal la arrastré fuera del local hasta llevarla a mi automóvil. Una vez en el apartamento seguí arremetiendo contra ella y esto se extendió por unas cuantas horas. Cuando finalmente dejé de maltratarla me di cuenta del daño físico que le había causado a esta mujer... El daño emocional nunca lo supe. Su cara estaba irreconocible por los golpes que le di. Fue tan violenta la golpiza, que más tarde temía dejarla dormir por miedo a que moriría en el sueño. La mañana siguiente cuando noté el daño que le había causado, sentí deseos de vomitar. Pasaron unos cuatro o cinco días, antes que los moretones alrededor de sus hermosos ojos verdes desaparecieran. La mayor parte de esos días los pasó encerrada en el cuarto de dormitorio, en un estado muy deprimente. Poco a poco me convertí en un profesional arrancando lágrimas de dolor, y destruyendo las alas a todo aquel que se cruzaba en mi camino. Aquel niño tímido que en su infancia cuidaba de sus orugas y mariposas, se estaba convirtiendo en un ogro fuera de control.

Tuve suerte que Marta no puso cargos por haberla lastimado, de haberlo hecho estoy seguro de que se me hubiesen condenado a cumplir un largo tiempo en prisión por la gravedad del ataque. Después de unas semanas todo seguía como si nada hubiera pasado. Mientras me encontraba en Kansas también introduje a otros muchachos a la heroína y a la cocaína. A pesar de esta doble vida y el desorden en mi vida privada, mis asuntos militares, todavía los mantenía bajo control. Fui adquiriendo promociones de rangos, y esto me daba la falsa impresión de que todo estaba bien conmigo. Cada rango que obtenía me confirmaba que podía seguir viviendo como lo hacía, y que, si se me reconocen como un buen soldado, tenía que ser porque en realidad, todo estaba bien.

En los primeros meses del año 1980 recibí órdenes para ser trasladado a una instalación militar en Alemania. Tomé unas semanas libres y viajé a Puerto Rico donde me esperaba mi prometida. En los pocos días que estuve allí la convencí de que nos casáramos por lo civil. Le prometí que una vez me estableciera en Alemania enviaría por ella, y ella aceptó.

Llegando a Alemania fui asignado a un batallón de Artillería motorizada en el fuerte militar Pinder, localizado en la ciudad de Nuremberg. Con mi gran rango de E4 que había alcanzado en Kansas comencé mi carrera militar en Alemania.

Una vez instalado me di a la tarea de conectar con alguien que supiera donde poder conseguir heroína. El tiempo fue pasando y no podía conseguir un contacto, y mientras tanto llenaba mi necesidad de estar bajo los efectos de alguna substancia con el alcohol. Mientras corría el tiempo fui profundizando en la bebida. Buscando sentir los efectos que sentía con la heroína y la cocaína, la mayor parte de las veces en que consumía alcohol terminaba bastante ebrio. En mi búsqueda conocí el Hash, un derivado de la marihuana, pero su contenido de THC que es el químico que produce el arrebato, es mucho más potente. No encontrando mis drogas de predilección, comencé a complementar el uso de alcohol fumando Hash. Fueron incontables las veces que hacía planes para salir a divertirme a cualquier centro nocturno, y en mi preparación tomaba licor, fumaba Hash, y después terminaba no saliendo a ningún sitio pues quedaba neutralizado. El alcohol restringía mis funciones motrices, y el Hash por su alto contenido de THC me hacía sentir paranoico. Una vez más no saldría de La barraca militar como se le conoce al lugar donde viven los soldados que residen dentro del fuerte, y seguramente terminaría bien borracho. En muchas ocasiones sentía celos de los otros soldados, que aun después de haber consumido alcohol y fumado Hash, se podían ir lo más tranquilos a divertirse. Poco a poco me estaba convirtiendo en lo que en lenguaje militar se le conoce como una rata de barracas, o sea un tipo que solo se las pasa en su cuarto y que tiene poca vida social. Aunque no escuché a nadie usar este término directamente refiriéndose a mí, mi incapacidad de poder moverme en los campos sociales me hacía pensar que sí lo era. Esto me deprimía, y para contrarrestar la presión equivocadamente consumía más, agrandando así el problema, sin poder darme cuenta.

En todo esto mantuve cierta comunicación con la que ahora era mi esposa en Puerto Rico, y le mantenía sus esperanzas altas de que pronto se reuniría conmigo en Alemania. Lamentablemente mi estilo de vida no me permitió ahorrar ningún tipo de dinero para poder hacerme responsable de una mujer. Todo era una fantasía, aunque en mi mente creía todo lo que le decía a ella como una realidad. Finalmente, cerca de la navidad del año 1981 conocí a alguien que me conectó con un distribuidor de cocaína y comencé a consumir la droga muy regularmente. Si antes se me había hecho difícil manejar mis finanzas, ahora con lo costoso que era la cocaína, ahorrar dinero para cumplir la promesa a mi esposa, era imposible. La poca comunicación que mantenía con mi esposa y mi familia desapareció por completo. Aun así, ese año fui reconocido una vez más, y una vez más se me otorgó otro rango. Ahora mi título era el de Sargento Matos. Según se me subió de rango, así también se me subieron los humos a la cabeza, y creía tener el mundo en mis manos. El sentimiento de poder que aquellas tres rayas en el cuello de mi fatiga militar causaron en mí, fueron tal vez el principio del final. El solo escuchar a otros referirse a mi como Sargento Matos era en cierta forma embriagante. El poder según dicen los que saben, puede ser una espada de doble filo, mi caso no fue la excepción.

Aun con el aumento de pago que obtuve en la promoción a sargento E5, el dinero solo rendía para saciar el apetito que tenía por el alcohol, el Hash y la cocaína. Una de las cualidades de la vida militar es que se puede conocer miles de personas, pero como todos tienen que ser transferidos tarde o temprano, los lazos que se forman no tienen tiempo suficiente para reforzarse. Creo que inconscientemente esto era una ventaja para mí pues hasta ese punto de mi vida las relaciones interpersonales nunca habían sido algo que me importara mucho. En mi mente si creía que eran importantes, pero en mi subconsciente no era así... el egoísmo que siempre había estado enraizado en mí no me lo permitía.

Cerca de la navidad de este año, fui llevado frente a el primer sargento de la compañía a la que pertenecía. Una vez frente a él, me preguntó que cuándo fue la última vez que me había comunicado con mi familia. Minimizando en mi respuesta le dije que solo unas semanas. Él me miro bastante furioso, y me informó, que mi madre le había pedido a alguien de la familia que se comunicara con el departamento del ejército para que me localizaran pues hacía aproximadamente ocho meses que no recibían noticias mías. Sin dejarme decir otra palabra, y en su presencia, me obligó a escribir una carta dirigida a mi madre. Aún mientras escribía la carta pensaba en mis adentros que no podía hacer tanto tiempo desde que me comuniqué con ella, y que al fin y al cabo todo esto lo estaban exagerando demasiado. Debo aceptar que aun así dentro de mí, sentía un pequeño grado de vergüenza por mi falta de atención a los que se preocupaban por mi bienestar. En el año 1982 fue implantado un programa en las fuerzas armadas, donde comenzaron a monitorear las tropas sin noticia previa, por medio de exámenes de orina. Unos días más tarde me encontraba en uno de los baños de la barraca ya que mi nombre había salido para un examen de drogas. Después de unas semanas me informó el mismo primer sargento que unos meses antes había lidiado conmigo referente a mi situación con la familia, que los resultados del examen reflejaban que había dado positivo a cocaína.

El castigo por la ofensa fue un mes sin paga, y la democión de un rango. Esto, aunque me chocó bastante, no fue suficiente para que reflexionara en cuanto a mi conducta. Para este tiempo me encontraba vendiendo cocaína dentro de las instalaciones, para poder costear mi apetito por la droga. Los cielos de mi carrera militar se llenaban de negros nubarrones. Como siempre, después de un tiempo volví a sentirme cómodo y seguí con mis andanzas.

CAPITULO 7
NUBES NEGRAS Y BARROTES

Muchos volamos tan alto, que no podemos ver a nadie debajo de nosotros...
¡y allá en las alturas, encontramos la soledad!

Rubens 1:66

EN UNA FRÍA y nublada mañana del 13 de marzo del año 1983, a eso de las cinco de la mañana fuimos despertados por los gritos de los Sargentos de más rango. Las instrucciones eran que nos vistiéramos y nos reportáramos frente a nuestras respectivas unidades. Una vez fuera de las barracas y en formación, nos dirigieron a un campo más grande donde ya se encontraban otras unidades. Poco a poco siguieron llegando más y más unidades hasta que pude notar que todos los soldados de los dos batallones que componían el fuerte se encontraban presentes. En total había aproximadamente novecientos a mil soldados en el campo. Mientras nos mantienen en formación, miramos alrededor confundidos, pues esto no era común para un domingo en la mañana. Una vez todos presentes, después de llamarnos a la posición de atención, el coronel del fuerte comenzó a dirigirse a la masiva formación.

El coronel dijo: "Esta mañana nos encontramos tratando con un grave problema entre los rangos de este fuerte. Tenemos soldados que no son dignos de representar el gobierno de los Estados Unidos de América, aquí en Alemania, ni en cualquier parte de este planeta. Estos soldados ponen en peligro la integridad del ejército americano, y estos individuos deben ser extirpados de la milicia. Estos individuos son una vergüenza, y su comportamiento no será tolerado". Mientras escuchaba al coronel miré al cielo y pude notar las nubes que, con su color gris y negro, me indicaban que algo muy malo estaba a punto de ocurrir. Para este entonces yo había recobrado el rango de sargento que me quitaron con lo del examen de orina. El coronel seguía hablando, pero en estos momentos mis oídos se rehusaban a escuchar lo que él decía. Era como si inconscientemente no quería escuchar, y de esta manera evitar lo que presentía estaba por pasar. Mientras volvía la mirada en dirección del coronel, comencé a oír en la lejanía los sonidos de sirenas. por el momento no pensé mucho de ellas, pero poco a poco pude notar que estas sirenas se acercaban más y más. No pasó mucho tiempo cuando los vehículos de la policía militar comenzaron a hacer su entrada en el fuerte, y en cuestión de minutos rodearon toda la formación.

Una vez la policía militar se encontraba en sus posiciones, el coronel sacó de uno de sus bolsillos en su uniforme militar de camuflaje, una hoja de papel, la que lentamente y mientras miraba la formación con ojos de desprecio comenzó a leer. Mientras él leía, las nubes como en forma de complicidad, comenzaron a dejar caer sobre toda la formación de soldados, las gotas de lluvia más frías que jamás había sentido. Cada gota se sentía como un alfiler que pinchaba la piel donde quiera que caía. Dirigiéndose a los primeros Sargentos de las diferentes unidades dijo el coronel: "Voy a comenzar a leer los nombres de ciertos soldados que se encuentran entre nosotros, una vez su nombre sea leído, quiero que el primer Sargento de cada soldado le escolte personalmente a mi presencia".

Uno por uno fueron resonando los nombres de soldados de poco rango. Pronto los nombres que le leía eran de soldados con más rango, y tal como habían sido ordenados, los primeros sargentos llevaban a los soldados frente al coronel. Soldados E1, E2, E3, E4, todos estos rangos ya habían sido llamados, y comenzó a hablar una vez más. En ese momento pensé que ya había llamado a todos los que serían llamados ese día. Más con las próximas palabras que salieron de su boca, me di cuenta de que solo hacía una pausa para expresar lo que sentía referente a los próximos nombres que estaría llamando.

"Estos nombres que acabo de llamar me causan ira, pero los nombres de los soldados que voy a leer de aquí en adelante, estos nombres me dan nauseas, porque estos son los nombres de oficiales no comisionados que representan la columna vertebral de las fuerzas armadas, pero que tampoco son dignos de ser parte de nosotros", dijo.

Cuando escuché estas palabras, mi mente se remontó a unas semanas antes mientras nos encontrábamos en unos entrenamientos especiales fuera del fuerte. Claramente pude recordar el momento cuando le vendí catorce gramos de Hash y dos gramos de cocaína a un individuo que me introdujo uno de mis clientes regulares. Recordé cómo después de la transacción sentí algo extraño, como lo sentí cuando vi a los dos tipos en el carnaval de mi pueblo unos años antes y que resultaron ser agentes encubiertos.

Comenzó una vez más a llamar nombres de su lista, ahora para mí esto era como cuando alguien juega la ruleta rusa. Cada vez que iba a decir un nombre, mi cuerpo se tensaba con solo pensar que el próximo nombre sería el mío. En ocasiones pensaba que esto era solo una pesadilla de la que pronto despertaría, pero las gotas de lluvia fría se encargaban de decirme que no estaba durmiendo, y que todo esto era muy real. Cuando finalmente mi nombre salió de su boca, sentí que los ojos del mundo estaban sobre mí maldiciéndome por ser parte de aquel grupo. Con mi cuerpo todavía tenso, sentí la mano del primer Sargento en mi hombro mientras me ordenaba que caminara.

Cuando me encontré frente al coronel, la realidad de aquella pesadilla se iba asentando en mí. Después de decirme cuánto desprecio sentía hacia mí por mis acciones, el primer Sargento procedió a remover de mi uniforme mis rangos, y los emblemas de la unidad a la que pertenecía. Luego fui entregado a la policía militar para ser procesado. En total, 53 soldados fuimos arrestados aquel día, incluyendo un capitán. Mientras era procesado, se me informó que estaba siendo acusado de trasiego de drogas, y que en su tiempo tendría que enfrentar un juez militar. Cuando me asesoré con un abogado militar, éste me informó que los cargos que enfrentaba tenían una pena máxima de 35 años en una prisión militar, por razón de que el código de ley militar es muy distinto a la ley civil. También me comentó, que, si me condenaban a 35 años, tendría que cumplir dos terceras partes de la sentencia para poder ser considerado para recibir libertad condicional. Cuando escuché aquellas palabras casi desmayo. Aquella noche mientras me encontraba con la cabeza en la almohada lloré amargamente.

Las palabras del abogado daban vueltas en mi cabeza, y sentía que el mundo se me acababa pues sabía que sería encontrado culpable. Los procesos legales comenzaron, y por la cantidad de casos que tenían, y milagrosamente, mis abogados tuvieron la oportunidad de negociar con los fiscales. Después de un tiempo de negociaciones, acepté una condena de 18 meses de la cual cumpliría un año, reconociendo mi culpabilidad. Enfrentando un juez en una corte marcial general, él aceptó el acuerdo, y fui sentenciado a servir 18 meses en la prisión militar Leavenworth en el estado de Kansas.

Inmediatamente fui trasladado a una prisión militar en Alemania, para después ser trasladado a Kansas. No fue hasta unos meses más tarde, que le informé a mi familia lo sucedido, y una vez más rompía el corazón de mi madre. No puedo imaginar el dolor que ahora ella sentía cuando miraba aquel retrato que le había enviado cuando comenzaba mi carrera militar. Las gotas de lluvia fría que me castigaban en el día que fui arrestado, tal vez eran también una señal de las lágrimas que mi madre, y mi padre derramaron una vez más por mi causa. Aquellas mismas nubes negras, ahora se trasladaban a cubrir los cielos de mi familia.

Durante el año que estuve confinado, mi esposa ya cansada de todo aquello decidió finalmente divorciarse. Yo me dediqué a hacer ejercicios, y pensar qué iba hacer con mi vida una vez regresara a la comunidad libre. En junio de 1984 terminé la sentencia, y regresé a Cambridge, Massachusetts, el punto de partida de toda aquella pesadilla.

CAPITULO 8
CALMA ANTES DE LA TORMENTA

¡Cargaré mi cruz, y si me permites... te ayudaré con la tuya!

Proverbio Jayuyano

Rubéns 1:63

CUANDO LLEGUÉ A Cambridge, mi madre que residía allí para esos días me recibió muy contenta pues a pesar de todo lo sucedido su hijo regresaba y estaba sano. Me instalé en su apartamento y en varias ocasiones la acompañé a la iglesia como lo hacía de niño. Esos días podía notar la alegría en su rostro, y me demostraba mucho afecto. Uno de mis hermanos me ayudó a conseguir empleo, y comencé a tratar de normalizar mi vida. Angie, la mujer con la que había comenzado la relación mientras estuve confinado y yo decidimos vivir juntos. Para este tiempo su niña de una relación previa contaba con unos 10 años. Yo seguí con mis ejercicios, y por el momento todo marchaba bien. Aunque no lo dejaba notar sentía bastante angustia por lo ocurrido en las fuerzas armadas, pues me recriminaba el haber fracasado tan fútilmente.

El resto de ese año pasó sin mucha novedad. Me mantenía mayormente alrededor de la familia y trabajando, aunque ya había comenzado a darme unas cervecitas los fines de semana. Para la primavera de 1985 aunque ya me había encontrado con varios de los muchachos con los que había compartido antes de ingresar al ejército, los encuentros eran casuales y cortos.

Un día de primavera del mismo año mientras corría la ruta usual, decidí desviarme pues quería pasar por la calle Columbia y que los viejos amigos vieran en qué condiciones físicas me encontraba. Allí como siempre, estaba casi el mismo grupo que había dejado unos seis años atrás. "¡Changuiri!", me dijo uno mientras me acercaba corriendo... "Mi pana, ¿cómo has estado?", me decían otros. Allí charlamos un poco de las cosas sucedidas a ellos como a mí también en los últimos años... después de un rato me despedí, y mientras me alejaba corriendo, me preguntaba qué impresión les había quedado de mí. El preocuparme por lo que otros pensaban de mí, fue también uno de mis grandes talones de Aquiles.

Continúe trabajando y cuidándome, pero podía sentir que los fantasmas del pasado, aquellos que me hacían sentir todos aquellos complejos que arrastraba de niño, una vez más se asomaban sutilmente. Comencé a visitar los bares locales, y casi siempre en ellos encontraba a alguien quien yo sabía podía conseguir aquella droga que me había marcado profundamente en 1976, y la cual hacía más o menos seis años que no probaba. Un viernes después que me encontraba ya metido en cervezas en uno de estos lugares, le pregunté a uno de ellos si sabía dónde conseguir Tecata, ese era el nombre callejero de la heroína. Me contesto que sí, y lo envié a buscar unas cuantas dosis de la droga. Mientras el individuo salía en busca de la droga, me imaginaba la sensación que iba a sentir cuando tuviera la droga en mi sistema. Cuando el amigo regresó me hizo señal que lo siguiera al baño, y allí puso dos pequeños paquetes de papel de aluminio en mi mano. Sin perder tiempo abrí uno de ellos y procedí a inhalar la droga nasalmente. Cinco minutos más tarde me encontraba muy relajado compartiendo historias y cervezas con cualquiera que quisiera escuchar... la puerta del infierno quedó abierta.

Aquella noche solo inhalé una de las dos dosis. El efecto de la droga me dio como era natural una gran picazón en el cuerpo, especialmente en la nariz. Yo para evitar que Angie notara que había algo extraño en mi comportamiento, decidí quedarme fuera hasta muy tarde para que cuando llegase a la casa, ella seguramente iba a estar durmiendo pues tenía que levantarse muy temprano a trabajar. Todo funcionó como pensé, esa noche pasó sin novedad. El día siguiente me levante e inhalé la segunda dosis sabiendo que ella no llegaría hasta tarde, y para este entonces le sería difícil notar que estaba bajo la influencia de drogas.

El día siguiente me quedé en la casa con ella y la niña, y pasamos un día regular. Dentro de mí pensaba que tenía que ser cauteloso, pues sabía lo físicamente adictiva que era aquella sustancia. Por los próximos meses seguí usando casualmente y cuidándome de no ser descubierto por ella. Mientras estaba en ese movimiento comencé también a inhalar cocaína. Los días fueron pasando, y decidí comprar una cuarta de onza de cocaína, para según pensaba yo, venderla en dosis más pequeñas y así hacer dinero extra.

Por un tiempo el negocio se mantenía algo bien, y aunque no generaba mucho dinero, por lo menos me mantenía a flote. Como me gustaba consumir, casi siempre solo sacaba suficientes ganancias para comprar otra cuarta de onza de cocaína y seguir el proceso. En ese verano Angie muy contenta me informó, que se encontraba embarazada. Yo por el momento trataba de mantener mi uso de drogas indetectable, y por lo que podía ver, lo estaba logrando y todo estaba bien en la relación.

Todos en la familia se alegraron mucho con la noticia del embarazo, especialmente mi madre, pues después de todo yo era el único que no le había dado un nieto. Considero en retrospectiva, que en su mente ella pensaba que el convertirme en padre me ayudaría a reflexionar en cuanto a qué hacía y qué rumbo iba a dirigir mi vida.

Mientras paso el tiempo del embarazo me sentía muy bien, y seguía manteniendo todo en cierto grado de control. En la navidad de 1985 sin embargo mientras Angie y yo nos encontrábamos en una fiesta familiar, ya bastante ebrio y bajo los efectos de la cocaína le propuse que fuera al baño conmigo. Una vez allí la trate de inducir a que usara cocaína conmigo, a lo cual ella se rehusó, y eso me incomodó grandemente. Esa noche me enojé mucho con ella y el resto de la fiesta la traté con mucha indiferencia. Para este tiempo ella se encontraba en su séptimo mes de embarazo. El control se perdía. El próximo día ella me reclamó por el comportamiento de la noche anterior, bastante avergonzado pues recordaba lo que había sucedido, y no teniendo una respuesta para ello, le eché la culpa al alcohol que había consumido, y no quise hablar del asunto. Ese día pude notar cierto grado de preocupación y tristeza en ella, y no era para menos.

El trece de febrero 1986 nació Tatiana Lee Matos. El nacimiento de Tatiana creo me sacó en cierto modo del enfoque de Angie y la familia, después de todo ahora ella tenía no solo a su primera hija, sino que también tenía que encargarse de Tatiana. Yo trataba como podía de contener mi uso de drogas bajo control, pero ahora se me hacía bastante difícil. Estos días me encontraba trabajando como obrero en una compañía de construcción, pero el dinero que ganaba lo usaba para comprar y consumir cocaína, heroína e ingerir alcohol.

Para la primavera me encontraba descontrolado con el uso de drogas, y esto intervino grandemente con mi rendimiento en el trabajo, y para conseguir dinero extra comencé a robar herramientas de la compañía. A través de un compañero de trabajo me enteré, que pronto se me daría un aviso de que solo me quedaban dos semanas de empleo en la compañía. Esta noticia me hizo sentirme mucho con los que manejaban la compañía, y en mis adentros pensaba que cómo iba a ser posible que ellos fueran a despedirme, pues a mi parecer, yo era el mejor empleado que tenían.

El día que oficialmente me dieron la noticia que me quedaban solo dos semanas de empleo, muy resentido comencé a maquinar cómo me iba a desquitar de lo que pensaba era un abuso que se perpetraba en mi contra. Al cabo de unos días decidí que antes de que terminaran las dos semanas, me iba a hacer como si había sufrido un accidente en el trabajo para demandarlos. El jueves antes que se cumplieron las dos semanas, les hice creer que me había caído de unas escaleras y me llevaron en ambulancia del lugar.

A través de un amigo conseguí un abogado que se especializaba en este tipo de casos, y levantamos la demanda. El seguro al trabajador comenzó a enviarme cheques, y ahora con todo el tiempo libre y recibiendo dinero sin trabajar, una vez más comenzó mi descenso al infierno. Ya hacía un tiempo que había cambiado el método de administrarme la heroína y la cocaína, ahora estaba usando intravenosamente una vez más. Está de más decir que hacía bastante tiempo no me preocupaba por hacer ejercicios... por la falta de apetito que causa especialmente la cocaína, fui perdiendo peso rápidamente.

Después de unos siete meses recibiendo mi pago semanal a través del departamento de seguro al obrero, mi abogado me llamó diciendo que la compañía a la que habíamos demandado nos hacía una oferta para cerrar el caso, y que él sugería la tomáramos. Unos días más tarde me entregó un cheque por la cantidad de diez mil dólares. Ahora adicto y con unos dólares en el bolsillo, me creía indestructible.

Me dediqué a consumir como nunca, y pronto me di cuenta de que el dinero se me iba de las manos rápidamente. Temiendo quedarme sin dinero con los últimos mil dólares que tenía, decidí comprar una onza de cocaína para una vez más tratar de hacer dinero. Tomé la droga y fui a la casa a prepararla para la venta. Para este tiempo cuando usaba cocaína sin tener heroína para calmarme después, me causaba un cierto tipo de convulsiones en el cuerpo cuando ya no tenía más producto para consumir, algo similar a un ataque epiléptico. También distorsionaba bastante mi capacidad de hablar coherentemente. Mientras hacía paquetes de cocaína más pequeños para vender, me imaginaba todo el dinero que generaría con aquella onza.

Una vez terminé de preparar parte de la cocaína, decidí salir a la calle a vender. Cuando iba saliendo de la casa pensé que debería probar la cocaína personalmente, para cuando la vendiera a los clientes decirles lo potente que estaba pues yo mismo la había probado. Preparé un tiro (una dosis)... y me lo inyecté. La cocaína era de alta calidad, y rápido pude sentir su efecto eufórico. Me quedé en la casa unos minutos pues la cocaína me había causado un grado de paranoia, y cuando me preparaba a salir de nuevo, sentí el deseo de administrarme otra dosis. Luego me di otra dosis, y otra, y otra... Ahora con un alto grado de paranoia, no me atrevía salir, pues en mi mente creía que la policía estaba afuera esperando que saliera para arrestarme. Cuando bajaba del último tiro de coca, la mente se aclaraba algo, pero seguidamente sentía el deseo de otro tiro, y volvía a hacerlo.

Unas horas más tarde me di cuenta de que Angie estaba por llegar del trabajo pronto, y no quería que me viera en aquella condición. Tomé la droga y las jeringuillas hipodérmicas y me fui al sótano del edificio. Eran como las cuatro de la tarde, ya hacía varias horas que me estaba administrando coca. Trataba lo más que podía de no volver a darme otra dosis para poder salir a la calle, pero era imposible. El resto de aquella tarde, y toda la noche la pasé en aquel sótano inyectándome cocaína sin poder salir de allí.

Una y otra vez trataba de controlar la situación solo para volver a inyectarme. Ahora me encontraba atrapado en aquel sótano con una gran cantidad de cocaína, y sin capacidad de poder dejar de inyectarme coca. La batalla con la mente era bestial, por un lado, entendía que tenía que parar, pero la insidia de administrarme otra dosis no lo permitía. Una y otra vez sucumbía a las demandas de volver a sentir la euforia que me había causado el último tiro.

La mañana siguiente todo seguía igual, ya hacían unas 18 horas desde la primera dosis. Como a las siete de la mañana cuando sabía que Angie se había marchado al trabajo, subí de nuevo a la casa. Las niñas no estaban, Angie las tenía que llevar a cuidar, pues ni siquiera en eso yo le ayudaba. Ese día lo pasé consumiendo, y tratando una vez más de controlarme para poder salir, pero era siempre lo mismo. Cuando mi euforia bajaba lo suficiente de la última dosis, pensaba que me podía administrar otra dosis y que el resultado sería diferente... pero no fue así. Alrededor de las tres de la tarde de ese día regrese al sótano... hacía más de 24 horas que llevaba consumiendo sin parar.

Allí me quedé consumiendo toda esa noche hasta que volvió a amanecer. Para este entonces cuando trataba de parar, mi cuerpo convulsionaba de una manera violenta, y se hacía cada vez más difícil poder inyectarme por lo mucho que temblaba el cuerpo. En ocasiones tenía que intentar dos, tres y hasta cuatro veces antes de poder encontrar la vena con la aguja. La mañana siguiente me encontraba en un estado crítico; física y psicológicamente. Hacía unas horas que había comenzado a alucinar; escuchando ruidos, voces que hablaban de mí, y comencé a ver una sombra que se escondía cada vez que miraba en su dirección. Cada vez que me administraba una dosis de ahí en adelante, la sombra aparecía más y más pronunciada, y comenzaba a entrar en un gran estado de pánico.

Pasé el resto del segundo día encerrado en el sótano batallando aquellos sentimientos de persecución. Cuando me inyectaba sentía que el corazón en cualquier momento explotaría por las masivas dosis de coca que me administraba. Por la reacción que la droga hacía en mi cuerpo, en todo aquel tiempo que llevaba consumiendo me había alimentado muy poco, y había consumido muy poco líquido. Encima de esto la coca me hacía sudar profusamente, y me encontraba bastante deshidratado...

Ya entrada la noche del segundo día la paranoia era insoportable, la sombra en ocasiones tomaba forma humana, y como pude salí corriendo de allí. Hacía aproximadamente treinta horas que había comenzado aquella pesadilla, y todavía me quedaba bastante cocaína.

Mientras me alejaba del edificio miré hacia atrás y pude ver que la sombra, ahora completamente con forma de cuerpo humano me venía siguiendo. Muchas veces anteriormente había tenido experiencias en las cuales oía ruidos, o veía cosas cuando había consumido coca prolongadamente, pero nada como lo que estaba experimentando en esta ocasión.

Pasado unos 20 minutos desde que había salido del sótano, llegué corriendo a la casa de otro adicto para que me dejara usar sus agujas pues en medio del pánico había botado las que llevaba conmigo. Una vez allí le regalé un poco de coca, él me prestó sus agujas, me di un tiro, e inmediatamente comenzó la paranoia y tuve que salir de allí. Esas próximas horas las pasé de la casa de un adicto a la casa de otro, en cada ocasión, regalando un poco de droga para que ellos me dejaran usar sus agujas. Unas horas después cuando ya no me abrían las puertas, regresé al sótano del edificio donde vivía con Angie y las niñas. Allí tenía guardadas más agujas hipodérmicas, y pasé el resto de la tercera noche inyectándome coca.

La mañana siguiente, y ahora en mi tercer día sin dormir, podía escuchar a Angie caminando en el apartamento mientras se preparaba para su día, pues me encontraba en una parte del sótano precisamente debajo del primer piso donde vivíamos. Sentí la puerta del apartamento cerrarse mientras ella se dirigía a llevar las niñas a cuidar, para luego ir a su trabajo. Yo luchaba con la mente pues en medio de toda aquella locura, sentía un gran sentimiento de vergüenza por lo que estaba haciendo. En especial el dolor que le causaba a Angie y al resto de la familia, que para ese entonces hacían tres días no sabían de mí. Pero aun con todos aquellos sentimientos encontrados, no eran lo suficientes para yo poder parar. Así permanecí el resto de aquel día, las alucinaciones cada vez más fuertes y reales por la droga, y todo el tiempo que llevaba sin descansar.

Entrada la noche salí de nuevo a la calle tratando de conseguir heroína pues sabía que esa era la única manera que podría calmar la insidia que tenía por la coca. Todo intento de conseguir heroína fue inútil, y seguí corriendo de la casa de un adicto a la otra. En una ocasión mientras caminaba cerca de la Iglesia Saint Mary's en la calle Harvard, volví a ver la sombra siguiéndome. Esta vez la miraba más cerca que nunca, y pensé que era alguien que me seguía para quitarme la cocaína. En un momento de pánico comencé a darle vueltas a la Iglesia pensando que confundiría a la sombra, pero ella seguía allí siguiéndome. Opté por esconder la droga bajo unas escaleras por si la sombra me alcanzaba no la encontrara en mí y tal vez se marcharía y me dejaba en paz. Una vez la droga estaba escondida comencé a alejarme de la iglesia, pero ahora pensaba que la sombra me había visto esconder la coca y si me alejaba seguramente se apropiaría de ella. Entonces regresé a la iglesia, pero no me atrevía recoger la droga. No sé cuánto tiempo estuve allí dando vueltas como un loco alrededor de aquella iglesia.

Cuando el cuerpo me comenzó a pedir otro tiro de coca, fui corriendo donde la había escondido, la tome, y me alejé rápidamente de allí. Llegué a la casa de uno de los adictos que frecuentaba y él me dijo que esperara un minuto y luego me prestaría sus agujas. Mientras esperaba sentado en el sofá, miré a un pasillo que daba a la puerta de entrada donde estaban guardados los abrigos de invierno. Sobre uno de los abrigos había un sombrero negro. Mientras miraba el abrigo pude ver que la sombra tomaba forma dentro de aquel abrigo, y en su cabeza tenía puesto el sombrero. Llamando al amigo le pregunté qué hacia aquella sombra en su casa. Él me miró como si estuviese loco mientras caminaba donde estaba el abrigo para asegurarme que allí no había nada. Yo seguía diciéndole que sí que estaba allí. El hombre fue y buscó las agujas, me di un tiro de coca y le dejé lo de él en la mesa mientras salía una vez más corriendo del apartamento.

La mañana siguiente entré en el sótano de una casa abandonada que era usada como hospitalillo donde los adictos se iban a inyectar. Allí me quedé el resto de aquel día ya sin poder aplicarme la droga personalmente por la doble visión que me causaba. Para poder inyectarme tenía que recurrir a algún adicto que entrase allí, para que el me inyectara, y yo le regalaba un poco de coca. La paranoia era tal, que ya no me atrevía salir de aquel sitio. Mis brazos estaban hechos pedazos de tantas veces que me había inyectado. Mis ropas sucias pues hacía días que no me bañaba ni cambiaba.

Para el quinto día, ya sin droga y destruido física y emocionalmente, fui localizado por Gary el esposo de mi hermana Elizabeth, que había sido enviado por la familia a ver si me encontraba. Gary que conocía los sitios que yo frecuentaba, fue en busca mía. Por medio de información que recibió de otros adictos que sabían de mi situación, llegó a la casa abandonada. Al entrar al sótano, sus ojos no pudieron contener las lágrimas al verme tirado en una esquina rodeado de basura, y convulsionando por falta de cocaína. Mi estado físico era muy deprimente. El mal olor que despedía mi cuerpo después de tantos días sin asearme era insoportable. Supongo que eso era lo más cercano a ser un cadáver que se podía llegar sin haber muerto físicamente.

El día siguiente me ingresaron en un hospital estatal donde la mayoría de los residentes eran personas con problemas mentales, pero que también tenían instalaciones para dar tratamiento a los adictos. Después de estar allí siete días regrese a la casa de mi hermana, pues Angie se encontraba muy desilusionada y no me recibiría en su casa.

Unos días más tarde me encontraba una vez más caminando las calles de Cambridge, y haciendo lo único que mi mente y mi cuerpo querían hacer en aquella etapa de mi vida. Una vez más adicto a la heroína comencé a robar en los apartamentos y las tiendas nuevamente para poder conseguir dinero. Otra manera de conseguir dinero era robando carros y vendiéndolos al dueño de un "Chop shop" que es el nombre que se le da a esos talleres, donde los desmantelan para después venderlos en piezas.

A mediados de diciembre de ese año, me enteré por medio de un adicto con el cual yo consumía, que él y su familia tendrían que ir a el estado de Pensilvania por una semana para enterrar a su mamá que había fallecido. Su hija y el esposo de esta junto a una niña de ocho años que tenían también harían el viaje. La misma noche que ellos salieron en su triste viaje, me encontraba desesperado por conseguir dinero, y subiendo unas escaleras de fuego me introduje en la casa de la hija del adicto con el cual yo compartía drogas. Sabiendo que ellos estarían fuera por una semana, me dediqué por los próximos días a entrar en la residencia de la joven pareja y llevarme todas las cosas de valor para venderlas o cambiarlas por drogas.

Para el quinto día ya había saqueado el apartamento de todo lo que podía vender. Mientras me encontraba buscando algo más que pudiera robar, mirando una esquina de la sala vi el árbol de navidad con todos los regalos debajo de él. Sin pensarlo me senté debajo del árbol y comencé a abrir todos los regalos que allí estaban. No me daba cuenta en ese momento, pero me había convertido en una versión real de un personaje ficcional que, en una película muy famosa, se dedica a robar el espíritu navideño de una aldea cercana. Este personaje se llama el Grinch que robó la navidad. Ahora me convertía en aquel ser, y nunca he podido imaginar el dolor que causé a aquella familia cuando regresaron a su hogar, y en especial a aquella niña de ocho años cuando vio que alguien le había robado su navidad. Unos días más tarde fui arrestado por posesión de cocaína, y en el precinto de Cambridge, una vez más tuve que experimentar los terribles síntomas de tener que romper mi adicción a sangre fría y sin medicamentos.

CAPITULO 9
LAS VOCES EN MI CABEZA

Deja ir tus mariposas...para que cuando regresen, traigan
conocimiento nuevo de lo que vieron en su jornada...

Rubéns 1:58

MIENTRAS ME ENCONTRABA preso Angie y yo nos reconciliamos, y cuando salí me permitió regresar a vivir con ella y las niñas. Una vez libre en la comunidad, conseguí trabajo, y volví a tratar de enderezar mis pasos, pero mi estabilidad duró poco; pronto me encontré visitando los mismos lugares y jangueando con las mismas personas de antes. Mientras trataba una vez más de controlar mi consumo, especialmente de la heroína, que era la que físicamente hablando causaba la mayor dependencia y el mayor sufrimiento cuando no podía obtenerla. Lamentablemente volví a caer en ella. Por otro lado, la coca cuando no la mezclaba con heroína estaba afectando mi sistema nervioso de manera grave. Ya no tenía que usar por tiempos prolongados para que la paranoia se apoderara de mí. Una vez en ese estado eufórico, la mayor parte de mis capacidades quedaban obsoletas. La capacidad de socializar era cancelada por completo. Siempre que terminaba una ronda de consumo prolongado me prometía no volver a usar la coca a menos que tuviera heroína con la cual mezclarla, pero era incapaz de lograrlo. Siempre que tenía la oportunidad, me engañaba pensando que esta vez sería diferente, que en esta ocasión podría controlar los efectos que me causaba la coca. Que en esta ocasión la disfrutaría como lo había hecho años atrás cuando la conocí por primera vez en el fuerte Riley en Kansas. Mil veces trataba y mil veces era lo mismo, los efectos de la coca sin heroína me llevaban al borde de la locura, más no era capaz de resistirme a ella.

Una noche de otoño en horas de la madrugada mientras vagaba por las calles, buscaba algún sitio para escalar y poder conseguir dinero. Recordé que unos días antes había pasado por un lugar donde estaban remodelando una casa. Como había trabajado en construcción, sabía que en ese lugar hallaría herramientas que fácilmente podría vender. Llegué al lugar y forzando una ventana me introduje a la vivienda. Rápidamente pude ver que allí efectivamente había un gran número de herramientas para la construcción. Comencé a recolectar las herramientas, y mientras caminaba por el lugar abrí una puerta que daba a una parte de la casa que parecía estar terminada. Fui bajando las escaleras pensando que en esa parte de la casa podía encontrar efectos electrónicos de mucho más valor que el de las herramientas. Cuando llegué al último escalón escuché un fuerte ronquido, y comprendí que no me encontraba solo en aquel lugar. Mirando a la izquierda, y con la ayuda de la luz del foco de la calle que se filtraba suavemente por una ventana sin cortinas, vi la figura de un hombre tirado en una cama durmiendo. La adrenalina corría por mi cuerpo como una manada de caballos desbocados. Una vez más volví a escuchar el ronquido y decidí que era tiempo de salir de aquel lugar. Mirando a mi derecha pude ver la puerta de salida, mientras me dirigía a ella noté que encima de un mueble estaba una cartera de hombre balanceándose sobre un fajo de billetes. Tomé la cartera, el dinero y salí de allí rápidamente. Ésta fue una de las muchas veces, que por alimentar mi apetito por las drogas ponía mi vida en peligro. El juego de la ruleta rusa continuaba...

El próximo día con el dinero que había robado de la residencia y enfermo por no tener heroína, compré unas cuantas dosis de la droga. Fui a uno de los hospitalillos, como llamamos a los sitios que frecuentan los adictos a inyectarse y procedí a curarme. Una vez allí en la parte de abajo de una lata de aluminio de una coca cola eche la droga, le eché el agua necesaria para mezclarla y usé un pedazo del filtro de un cigarrillo como era costumbre, para filtrar la droga cuando la recogiera con la jeringa. Me administré la droga y salí a la calle. Unos minutos más tarde sentí algo extraño en mi pie izquierdo. Cuando caminaba podía sentir cómo el tobillo de mi pierna izquierda temblaba con cada paso. Seguí caminando, pero el temblor era cada vez más fuerte. Me subí el pantalón para ver qué sucedía, y noté que mi tobillo estaba algo hinchado. No le puse mucha atención pensando que tal vez me lo había lastimado la noche anterior mientras entraba a robar en la casa. Continué la marcha, pero unos minutos más tarde sentía mi tobillo demasiado extraño. Una vez más volví a subirme el pantalón y cuando vi el tobillo me quedé sin aire. En solo unos minutos, y aunque no sentía dolor, el tobillo se había hinchado de una manera terrible. Lleno de pánico pues nunca había experimentado algo semejante, me le paré frente a un vehículo que transitaba por allí y le pedí que me llevara al hospital. Le enseñé el tobillo y el buen samaritano me llevó como unas diez cuadras donde estaba el hospital de Cambridge.

Una vez admitido en sala de emergencia, uno de los doctores comenzó a estudiar el tobillo mientras me preguntaba si yo usaba droga intravenosamente. Para asegurarme que me diagnosticara correctamente no titubeé en decirle que sí. Luego me preguntó que cuándo fue la última vez que me había inyectado y le contesté que hacían unos veinte minutos desde mi último tiro. Sin decir nada más salió del cubículo donde me tenían y cerró las cortinas detrás de él. Unos minutos más tarde mientras yo lleno de pánico observaba el tobillo, sentí que detrás de las cortinas el doctor hablaba con otra persona.

Poniendo atención a la conversación, pude escuchar cuando la otra persona preguntaba al doctor, que cuál era el problema con el paciente, refiriéndose a mí y cuál era la prognosis. El doctor sin medir palabras dijo: "Este paciente tiene un bloqueo sanguíneo y tendremos que amputar del tobillo para abajo". Aterrado por lo que acababa de escuchar comencé a llorar y gritar de una manera enloquecida, gritando a todo pulmón que por favor no cortaran mi pie. Por el cabo de quince a veinte minutos estuve allí gritando como un loco sin que nadie viniese a ver que me sucedía.

Cuando finalmente el doctor regresó me encontró en una posición fetal todavía llorando. Me puso la mano en el hombro y me pidió que me calmara. Una vez tuvo mi atención dijo que ellos no tendrían que amputar mi pie, mientras me explicaba lo que había sucedido para que mi tobillo se hubiese hinchado de aquella manera. Cuando te inyectaste, uno de los filamentos del filtro del cigarrillo que usaste para filtrar la droga subió con la droga a la jeringa, y al inyectarte, también te inyectaste el filamento. El filamento se ubicó en el tobillo, y los anticuerpos tratando de eliminar el filamento causaron la hinchazón, en unas cuantas horas todo volverá a la normalidad. La razón por la que nos escuchaste hablar de amputar fue para ver si de esa manera aprendes tu lección de que si continúas inyectándote drogas, la próxima vez tal vez no tengas la misma suerte. La próxima vez el filamento puede llegar a alguno de los órganos más importantes y el resultado puede ser muy diferente. Les mentiría si les digo que aquel episodio no me asustó... les mentiría aún más, si les digo que solo una hora después no me encontraba en el mismo hospitalillo inyectándome nuevamente.

Eran muchos los escalones que había bajado en esos últimos años... y aquella escalera parecía no tener final. Durante todo ese tiempo mi madre seguía orando, pues por medio de la familia se enteraba que yo todavía seguía en lo mismo, y cada día que pasaba mi situación empeoraba más...

Un día de 1988 me encontraba sentado en el sofá viendo televisión mientras Angie preparaba la cena. De momento vi a Tatiana que para este tiempo contaba con unos dos años y medio de edad salir de nuestro cuarto. Ella con su hermoso pelo rizo y su preciosa sonrisa venía caminando por el pasillo. Cuando me fijé bien me di cuenta de que ella traía en su pequeña mano una jeringa hipodérmica que yo había escondido en una de mis botas, y que no tenía el protector plástico que cubre la aguja. Sentí que la tierra me tragaba. Rápidamente fui y se la quité para que Angie no llegara a verla. Milagrosamente mi hija no se lastimó gravemente con aquella aguja. Son muchas las maneras, en que un adicto puede poner en peligro el bienestar de los que lo rodean.

Para el 1989 la reacción que me producía la coca era devastadora. En muchas ocasiones cuando salía a la calle después de haberme administrado una dosis miraba algún vehículo que por allí transitaba, y alucinando veía en el asiento de atrás del vehículo a Angie con otro hombre. Como un loco y enloquecido por los celos, me lanzaba corriendo detrás del vehículo, solo para mirar a otro vehículo que venía en dirección opuesta y donde también la veía con otro hombre. Seguidamente dejaba de perseguir el primer vehículo y comenzaba a perseguir el segundo. Una y otra vez corría detrás de los vehículos que por allí transitaban hasta que la euforia de la última dosis terminaba, solo para volver a experimentar las mismas alucinaciones tan pronto me diera otro tiro.

En ocasiones la reacción que me daba era salir a la calle en altas horas de la noche con un cuchillo en la cintura. Las voces que ahora oía cada vez que usaba cocaína, me decían que buscara una mujer, la raptara y la violara. La voz me decía que una vez la violase, la mujer no lo reportaría pues ella también lo iba a disfrutar tanto como yo. En varias ocasiones estuve cerca de cometer el crimen, pero no tuve el valor de llevar el plan a cabo.

Mi vida era una pesadilla de la cual no podía despertar y cada vez las alucinaciones, y las voces eran más convincentes.

A finales del año 1989, llegué posiblemente al último escalón de aquella escalera que me llevaba directamente al infierno. Mientras Angie dormía en su cuarto, Glenda su hija mayor que para este tiempo contaba con quince años, y Tatiana con casi cuatro años dormían en sus respectivas habitaciones. Yo tenía una gran cantidad de coca, y estaba en la sala inyectándome. Ya hacia muchas horas que me encontraba consumiendo. De pronto empecé a oír las voces una vez más. En esta ocasión la voz me decía que Glenda quería tener relaciones íntimas conmigo. Al principio me resistía a las voces, pero cuando me inyectaba nuevamente, otra vez volvía a escuchar la voz. Después no era cualquier voz la que escuchaba, ahora la voz que escuchaba era la de mi hijastra diciéndome que fuera al cuarto que ella me estaba esperando. En varias ocasiones fui caminando hasta la puerta del cuarto solo para devolverme y darme otro tiro de coca. Finalmente, las voces me enloquecieron, fui a la puerta de su cuarto y entré en él. Sentándome en el borde de su cama, la voz me decía que la tocara suavemente para que ella se sintiera tranquila. Puse mi mano en su pierna y comencé a acariciarla pensando que, al llegar a su parte privada, lo que las voces me decían se cumpliría. En ese momento Glenda despertó y entre llantos y gritos llamaba a su mamá. Salí corriendo del cuarto y me senté en la sala. Angie ante los gritos y el llanto de su niña salió a ver qué sucedía. Después de enterarse de lo sucedido, fue a la sala a pedirme cuentas. Yo me negaba, diciendo que su hija tal vez había tenido una pesadilla. Mientras tanto Glenda lloraba desconsoladamente, y recalcaba que efectivamente yo había entrado a su cuarto y la había tocado.

Esa noche Angie me dijo que tenía suerte que ella no llamara la policía, y me pidió me marchara de la casa. Mientras la puerta se cerraba tras de mí, podía escuchar el llanto de Glenda, Tatiana y Angie, que ahora se unían a ella en su dolor. Mientras caminaba sin rumbo, la escena del acto cometido aparecía en mi mente una y otra vez, condenándome por lo que había hecho en aquel hogar.

De allí en adelante cada vez que me inyectaba coca, lo primero que llegaba a mi mente era aquella escena, y el temor de que todo el mundo sabía el acto despreciable que había cometido en contra de mi hijastra. La vergüenza me castigaba de manera salvaje. Aquella noche quedó registrada como lo más bajo que había llegado en la escalera hacia el infierno. Unas semanas después fui arrestado por posesión de narcóticos. Mientras esperaba regresar a corte para que el caso se ventilara, comencé a imaginarme que me podía suceder si me sentenciaban a cumplir tiempo y mientras estuviera encarcelado los otros presos se enteraban del atentado contra mi hijastra, pues sabía que por los códigos de las poblaciones penales las personas que cometen ese tipo de acto son confrontados y en muchas ocasiones agredidos de manera brutal por la naturaleza del caso.

Temiendo a estas represalias, el treinta y uno de diciembre de ese año hice lo que la mayor parte de los adictos hacemos cuando no encontramos salida a una situación, saqué un pasaje, y en una diminuta maleta empaqué mi miseria junto con mi vergüenza y regresé a Puerto Rico. Pensaba que con aquel movimiento geográfico podía deshacerme de aquella condena mental que me afligía.

Los primeros cuatro días en la isla los pasé prácticamente en una cama rompiendo mi adicción física a la heroína. Mi madre que se encontraba de regreso en la isla me atendía mientras me recuperaba. Una vez más supongo el dolor que le causaba ver a su hijo en aquellas condiciones. Me imagino que lo único que la confortaba era saber que por lo menos todavía estaba vivo. En ocasiones cuando podía conseguir el sueño, despertaba y la encontraba allí en el cuarto orando por mí. Después de cuatro días de insomnio, de sentir gusanos dentro de las coyunturas en las rodillas, y todos los otros síntomas que ocasiona romper un vicio sin medicamentos, mi condición física, mental y espiritual estaban una vez más hecha pedazos. Aun después de unas semanas de haber llegado, y ya algo recuperado físicamente, se me hacía difícil salir de la casa pues ahora pensaba en qué iba a decir la gente del barrio cuando se enteraran que después de haber estado en los Estados Unidos por tantos años, regresaba derrotado y sin un centavo en el bolsillo.

Cuando finalmente comencé a moverme por el área, volvían los sentimientos de envidia contra todos aquellos que habían podido adelantarse en la vida a través de haberse casado, tener familias, negocios prósperos, casas, carros y trabajos, mientras la mía era un fracaso en todo el sentido de la palabra. Habían pasado dieciocho años desde que salí de aquel lugar, y aunque había regresado en otras ocasiones, esta vez volvía más derrotado que nunca. No tenía estudios o títulos de alguna clase, mi único título era el de ser un adicto a las drogas lleno de toda clase de defectos de carácter habidos y por haber.

Unos meses más tarde y ya recuperado físicamente, un vecino llamado Luis Robles me invitó a ir a trabajar con él como ayudante de albañil con una paga de 50 dólares diarios. Mi autoestima subió algo pues por lo menos conseguía algo de dinero para mis necesidades personales. Una vez más acudí a los ejercicios pues en ellos encontraba algo de calma a mis ansiedades, y poco a poco la vida no se sentía tan pesada.

Los viernes de pago, después del trabajo nos parábamos en el negocio de Chu Marín a darnos unas cervezas. Siendo un negocio muy popular, no tardó mucho en que comenzará a encontrarme con amistades que había conocido en mis otras visitas a la isla, y que sabía a ellos también le gustaba usar heroína.

Uno de esos viernes, después de unas cervezas y unos cuantos tragos, me monté en el vehículo de uno de ellos, y nos dirigimos a la ciudad de Ponce en busca de aquella droga que era la única que llenaba todos los vacíos de mi alma, y por un tiempo quitaba de mi todo tipo de sentimiento de envidia, rencor, temor, pasividad, incompetencia, egoísmo y tantos otros que aunque sabía disimular muy bien, todavía plagaban y roían mi alma como una manada de Hienas salvajes. Pronto hicimos de los viernes el día tradicional para ir a Ponce en busca de la droga. Por el momento solo compraba unas cuantas dosis suficientes para viernes y sábado, y el resto de la semana la pasaba trabajando y haciendo ejercicios.

El estar en la isla me ayudaba a mantener el monstruo de la adicción controlado, pero no completamente. Ésos primeros años en Puerto rico pasaron sin mucha novedad. Trabajaba en lo que podía, y lo poco que ganaba era absorbido por el licor y las drogas.

Una noche después de inyectarme una fuerte dosis de heroína salí del cuarto rumbo a la cocina, no sé cuánto tiempo pasó, pero cuando volví en mí me encontraba parado frente a la nevera. Mirando hacia una esquina de la cocina pude ver a mi madre que me observaba, sus ojos llenos de lágrimas. Aquella era la misma cocina donde muchos años atrás la había encontrado gimiendo por la muerte del presidente. Ahora sus lágrimas una vez más corrían por sus suaves mejillas al ver su hijo en aquellas condiciones. En muchas ocasiones anteriormente había estado en la presencia de mi madre mientras estaba bajo los efectos de drogas, pero nunca había perdido el conocimiento frente a ella como lo hice aquella noche. Nos quedamos mirando el uno al otro por unos segundos, y aun en mi condición podía ver el dolor en sus ojos, sin decirnos una palabra me di vuelta y regresé a la habitación. No sé si ella hablaba con alguien para desahogarse de su dolor y preocupación por mí, aparte de cuando hacía sus oraciones y hablaba con aquel Dios que fielmente seguía. Ella nunca me confrontó sobre aquella noche, pero estoy seguro de que de la misma manera que aquel evento quedó grabado en mi mente hasta este día que lo relato, por el resto de su vida ella también lo llevó en la suya. No puedo imaginar las veces que, recordando aquella escena, y llorando amargamente se tiró de rodillas suplicando a Dios por mi bienestar. Los días se hicieron semanas, las semanas meses, los meses años y yo continuaba igual.

Para el año 1994 el esposo de mi hermana Matilde me ayudó a conseguir un trabajo en la planta farmacéutica donde él trabajaba. Era un trabajo muy diferente, a los otros que por temporadas hacía, y que pagaba muy bien. Un viernes después que salí de trabajar entre a un negocio a darme unos tragos. Horas más tarde y ya bastante ebrio me uní a un juego de dados que otros clientes tenían sobre la mesa de billar. A eso de las doce de la media noche y de repente pararon el juego abruptamente, y me incomodé bastante pues me encontraba perdiendo y quería tener oportunidad de recuperar lo que perdía. Mientras les reclamaba el por qué habían terminado el juego, uno de los que participaba del juego me informó que al negocio había entrado un policía en civil y que tan pronto el individuo se marchara continuaremos el juego. Esto no sentó muy bien conmigo. El policía hacía poco que había terminado su turno y decidió entrar al negocio a darse unas cervezas. Desde una esquina del negocio yo miraba al individuo que había acabado de llegar, y él al notar mi mirada me pregunto si tenía algún problema. Sin titubear le respondí que qué le importaba, el hombre muy calmado se dio un sorbo de la cerveza que le habían acabado de servir y me dijo de forma desafiante que me esperaría afuera para resolver el asunto. Frente a aquella situación comprometedora, y para no verme como un cobarde frente a los que allí estaban me dirigí a encontrarme con individuo en las afueras del negocio.

Tan pronto puse un pie fuera del negocio, aquel individuo se abalanzó sobre mí, y me pegó brutalmente hasta que quedé inconsciente.

Cuando desperté me encontré en una patrulla de la policía. Uno de los policías me pregunto dónde vivía para ellos llevarme a la casa. Como pude le dije donde vivía, y me llevaron hasta allá. Al otro día desperté con una tremenda resaca, y me dirigí al baño. Cuando vi mi reflejo en el espejo, no me podía reconocer. Tenía toda la cara hinchada de los golpes de la noche anterior. Mirando al espejo noté que lo que debía ser la parte blanca de mis ojos, estaba completamente roja por la sangre que había sido derramada de los capilares. Regresé a mi cuarto y me mantuve allí el resto del día, el segundo día mi cara se encontraba aún peor. Esquivé a mi madre por varios días, pero para el cuarto día me di cuenta de que necesitaba atención médica. Una mañana mientras mi madre estaba en la cocina, salí del cuarto y fui donde ella, no me explico como ella no se desmayó al verme. Mi cara estaba completamente desfigurada, la sangre en los ojos se había tornado negra al punto que no se podía identificar la niña en ellos. Cuando ella me vio, pude una vez más sentir su dolor, solo que esta vez sentía que su dolor venía del alma. Las próximas dos semanas las pasé prácticamente encerrado en mi habitación, hasta que fui admitido en el hospital, ya que tenía que ser sometido a una intervención quirúrgica, pues tenía huesos rotos en el pómulo izquierdo de la cara. Está de más decir que por el tiempo que estuve fuera, perdí mi empleo. Esta experiencia me mantuvo calmado por un tiempo, y aunque me hizo reflexionar un poco con referencia a mi estilo de vida, no tardó mucho después de la recuperación, que me encontraba una vez más consumiendo.

Por el año 1995 fui a trabajar a una finca de flores en el estado de Connecticut. Allí permanecí unos ocho meses, los cuales pasé solo trabajando y gastando todo el dinero que ganaba consumiendo drogas y alcohol. Al final de la temporada, me encontré con el pasaje de regreso a la Isla, cien dólares y un radio portátil que había comprado mientras estuve allí... eso era todo lo que poseía después de ocho largos meses de trabajo. De los cien dólares tuve que pagarle ochenta y cinco a un carro público para que me llevara de San Juan a Jayuya, y cuando desperté el próximo día me encontraba con quince dólares, un radio y una vez más avergonzado por no poder vivir una vida productiva como lo hacían las otras personas. Unos días más tarde empeñé el radio por el cual había pagado doscientos, en cincuenta dólares, y salí rumbo a Ponce en busca de heroína para calmar la ansiedad.

Mientras esperaba la guagua pública me encontré con un conocido, y al enterarse hacia dónde me dirigía, me entregó doscientos dólares para que le trajera cuarenta bolsas de cocaína de cinco dólares cada una. Después de conseguir la heroína y la coca, fui debajo de un puente a inyectarme. Una vez me inyecté la heroína procedí a inyectarme una dosis de coca, por la alta calidad de la coca, inmediatamente comencé a escuchar voces. Me asusté de tal manera que empecé escuchar que la policía me vigilaba desde un helicóptero. Salí corriendo para evitar que me pudieran capturar con las cuarenta bolsas de coca. Mientras corría podía escuchar el ruido del helicóptero, y una voz que a través de altoparlantes me ordenaba a que me detuviera. Seguí corriendo por las orillas del río hasta que me encontré en un pantanal. En medio de mi desquicio decidí esconder la droga en medio de la maleza que allí crecía, por si acaso era aprendido no la encontrasen en mi posesión. Después de esconderla seguí corriendo y me alejé bastante de donde la había dejado. Cuando la reacción de la coca menguó y me di cuenta de que todo era producto de mi imaginación, regresé a buscar donde la había escondido. Como un loco traté de localizar el sitio donde la había guardado, y después de muchas horas de búsqueda, ya cayendo la noche me di por vencido. Cuando salí de aquel pantanal estaba cubierto de lodo. Regresé bajo el puente, me quité las ropas y las lavé en el río. Para cuando salí de debajo del puente ya era de noche. Seguí caminando por la avenida, cuando ya no podía caminar más me fui detrás de un edificio donde pasé la noche acostado sobre unas cajas de cartón que allí encontré. El día siguiente un buen samaritano que por allí transitaba y que iba rumbo a Jayuya, me dejó montarme en la parte trasera de su pick up. Me tiré en la parte trasera del vehículo y mientras subía aquella carretera serpentina, miraba al cielo y me preguntaba cómo había llegado hasta allí. De vez en cuando veía las copas frondosas de los árboles de mango al lado de la carretera, sus ramas cubiertas de su deliciosa fruta me hacían recordar los tiempos de mi niñez después que terminabamos de bañarnos en el río, e íbamos en busca de los deliciosos mangos. La nostalgia me abrumaba... Éstos eran otros tiempos, en estos tiempos... Y como lo había venido haciendo por muchos años, solo me alimentaba de un árbol llamado miseria.

En el mes de agosto del año 1996 en un viaje que hice a Ponce en busca de heroína, compré unas cincuenta bolsas de coca pensando una vez más que podía vender la droga y hacer dinero. Las fiestas patronales acababan de llegar al pueblo, y era una buena oportunidad para vender coca. Para este tiempo a diferencia de años anteriores, los usuarios de coca habían aumentado mucho en aquel pequeño pueblo. Era viernes en la tarde cuando regresé de Ponce. Me di un baño, me cambié de ropa y me preparaba a salir en dirección a las fiestas, cuando después de otro tiro de coca caí de nuevo en pánico. Esperé un poco y cuando me sentí capaz de salir de la casa, después que me encontraba en el portón listo para salir a la calle me di vuelta pues deseaba otro tiro de la droga. Me encerré en el cuarto, y estuve el resto del viernes, el sábado y todo el domingo allí encerrado inyectándome cocaína.

Una vez más en un estado de euforia que me hacía escuchar voces y tener alucinaciones, comencé a entrar en un gran estado de paranoia. Mirando por las rejillas de la ventana que daba a la calle, podía, aunque era todo producto de la imaginación, ver un grupo de policías que vigilaban la casa mientras apuntaban armas largas en mi dirección. (Las mismas rejillas de la ventana por la cual cuando era niño observe la enemiga de mi padre burlarse de la parálisis facial que lo agobiaba). En mi locura miraba por el pequeño espacio debajo de la puerta de entrada a mi cuarto, y veía dos pares de botas bien lustradas que en mi mente pertenecían a dos agentes que se disponían a entrar al cuarto. Pensando que en cualquier momento tumbarían la puerta para entrar, yo buscaba un sitio donde esconder la poca droga que me quedaba.

Mientras tanto podía escucharlos cuando se comunicaban a través de sus radios. "Roger," los escuchaba decir... "acaba de poner la droga debajo del colchón". Rápidamente la sacaba de allí y la metía dentro de una media en el mueble, solo para escuchar el radio una vez más informando donde había escondido la droga en esta ocasión. Una y otra vez la escondía en diferentes lugares, y una y otra vez lo volvía a oír en los radios de la policía... Cuando ya no podía más con aquel estado de locura, y para que si la policía entraba no me pudieran quitar la droga, la envolví en una bolsa plástica de las que se usan para empacar sándwiches y me la introduje en el ano. Allí no la encontrarán pensaba yo. De pronto me puse a pensar que tal vez no encontrarán la coca, pero encontrarían la aguja hipodérmica que usaba para inyectarme... en ese momento comencé a empacar la aguja en otra bolsa plástica con la intención de también introducirla en mi ano. En mi locura no podía concebir que me las fueran a quitar. Por la misericordia de Dios pude reaccionar a tiempo y no procedí con aquel plan, que seguramente pondría en alto riesgo mi salud.

La batalla mental era incontrolable, por un lado, racionaba que lo que oía y veía era todo creación de mi imaginación, pero aun así no podía controlar el pánico que me causaba y mi reacción a estas alucinaciones.

Cuando pude recobrar un poco de control, saqué la coca de mi canal anal y arriesgando a inyectarme alguna bacteria por las condiciones antihigiénicas, procedí a mezclar otro tiro de coca, y continúe inyectándome.

Cuando ya no tenía más coca y en un estado de locura salí del cuarto y fui al cuarto de mi sobrino Wilson, despertándolo le pedí que fuera y le dijera a la policía que me iba a entregar y que por favor no me fueran a disparar cuando saliera. Billy, como lo llamamos cariñosamente, dijo que me regresara al cuarto, que afuera no estaba la policía. Regresé al cuarto, me tiré en la cama y allí estuve convulsionando por un largo tiempo.

Después de lo que pareció una eternidad de convulsionar en la cama, escribí una nota en un papel dirigida a uno de los amigos con los que usualmente me juntaba para ir a buscar drogas a Ponce. En la nota le pedía que me consiguiera heroína para poder bajar de aquel estado desquiciado en el que me encontraba. Deslice la nota por debajo de la puerta del cuarto, con esperanzas de que Billy la encontrara y se la hiciera llegar a mi amigo. Unas horas más tarde escuche que alguien tocaba en la puerta. Esperanzado de que la nota había llegado a su destino, y que tal vez mi amigo me había conseguido heroína abrí la puerta...

Allí parada, estaba mi hermana Matilde. Cuando vio el estado en que me encontraba, pude notar como su semblante fue desfigurado por el dolor de ver su hermano menor en aquellas condiciones infrahumanas. Con lágrimas en sus ojos y con palabras entrecortadas, me preguntó que cómo estaba. Sin poder disimular, pues todavía mi cuerpo estaba muy alterado por la cantidad de droga que me había administrado durante aquellos tres días, le dije casi sin poder hablar que necesitaba ayuda. No era necesario explicarle qué me sucedía, con solo mirar la condición física, y mental en la que me encontraba, era suficiente para que ella pudiera deducir que me encontraba en muy mal estado. Después de un rato cuando ya había cesado de convulsionar, el cuerpo no resistió más, y me quedé dormido. Cuando desperté, era miércoles, hacía unas cuarenta horas que había estado durmiendo.

Pasados unos días, mi hermana Matilde regresó a ver cómo estaba, y a platicar conmigo. Después de preguntarme cómo me sentía, me miró fijo a los ojos y una vez más con palabras entrecortadas, y lágrimas en sus ojos, dijo: "Tú no sabes cuánto dolor estás causando a toda la familia; tú no te imaginas el desosiego que vivimos todos al verte como vas destruyendo tu vida. Aun nuestras amistades y vecinos pueden notar tu condición. Pero lo más que nos duele, es ver como tú... poco a poco le vas quitando la vida a nuestra madre. Como por tantos años, lágrima a lágrima le has ido absorbiendo la vida. Es que no te das cuenta como ella ha estado sufriendo por ti todos estos años. Ella también es mi madre, y tú me la estás matando".

Esas palabras sacudieron algo muy profundo dentro de mí. En ocasiones anteriores, diferentes personas me trataron de ayudar a abrir los ojos para que pudiera reconocer el problema de adicción que tenía, pero nadie lo hizo como ella en aquella ocasión. Sus palabras eran cortantes, directas y acentuadas con un gran dolor... no sabía cómo reaccionar a sus palabras... después de todo esa no era la norma en la familia. Desde que tenía memoria, en nuestra familia las cosas se barrían bajo la alfombra, y no se llevaban a cabo confrontaciones de ese tipo.

En medio de la conversación, Matty mencionó que ella y su esposo Pito, habían participado de unos talleres en un programa llamado LifeSpring, el cual ella entendía tal vez podría ser provechoso para mí. Los talleres eran bastante costosos, pero ella estaba dispuesta a pagar por ellos si yo decidía ir a el programa.

No me comprometí en el momento, pero después que ella se marchó me puse a contemplar la idea de tal vez aceptar aquella oferta. Durante todos aquellos años, habían sido pocos los momentos de lucidez donde medio entendía la magnitud del problema, y aunque me había internado en centros para desintoxicación en varias ocasiones, nunca había buscado la manera de bregar con el seriamente. Siempre pensé que sería capaz de lidiar con la situación, y que cuando llegara el momento, tendría la capacidad de dejar las drogas por mi propia cuenta. Más ya habían pasado veinte años, y aunque en mis adentros había un deseo de cambiar, nunca lo había logrado por mis propios métodos. Unos días más tarde hablé con mi hermana y le dije que estaba dispuesto a participar en el programa.

Matilde se ocupó de hacer los arreglos necesarios y unas semanas más tarde, recuperado físicamente, pero con el espíritu decaído una vez más por la vergüenza, me encontré viajando hacia el área metropolitana, donde llevarían a cabo los próximos talleres. En el camino Matilde describía un poco más detalladamente, lo que experimentó cuando ella participó del programa. Yo la escuchaba y podía palpar en sus palabras la satisfacción que sentía de haber sido introducida a Lifespring. Lifespring no estaba diseñado necesariamente para casos de adicción como el mío... por lo menos esa era su opinión al respecto. Supongo que después de haberme visto perdido por tanto tiempo, después de ver como toda la familia sufría, en especial el dolor de nuestra madre a consecuencia de aquella terrible adicción que me mantenía muerto en vida, en su desesperación, ella buscaba alguna manera de ayudarme.

Matilde había llegado temprano en la mañana para llevarme a san Juan. Como lo hice la primera vez que salí de mi hogar rumbo a los Estados Unidos, subí al carro para emprender el viaje. Esta vez sin embargo no me fijé si había chiringas en los cables eléctricos diciéndome adiós con sus rabos de trapo. Ni me di cuenta cuando pasamos la escuela primaria que asistí cuando niño. El árbol de Flamboyán de doña Cecilia hacía mucho lo habían cortado. Esta vez, miraba con tristeza la casa de un vecino llamado César la cual unos años antes había escalado. Esta vez no miraba con nostalgia los sitios en los cuales de niño me escondía cuando jugábamos al escondite. Ahora, miraba confundido el camino que llegaba hasta el río donde me divertía de niño, y que después tomé en muchas ocasiones para esconderme a orillas del mismo río a intoxicarme mientras inhalaba Thinner, y en mis adentros me preguntaba cómo fue que la vida me llevó hasta allí.

Mientras salíamos de Jayuya pude una vez más sentir como si aquella majestuosa montaña llamada El Cerro Puntas, y que como gigante parecía estar allí asignada a proteger los habitantes de aquel pequeño valle, miraba con tristeza como nuevamente aquel que una vez inocentemente se bañó desnudo en las cristalinas aguas de los ríos que de ella brotaban, salía de su presencia una vez más derrotado. Las casi tres horas de camino desde nuestro pequeño pueblo hasta San Juan me parecieron una eternidad. Durante todo el camino solo escuchaba a Matilde tratando de animarme y prepararme, para que pudiese sacar el mayor provecho de aquel programa, el cual ella daba fe que la había ayudado a crear conciencia en muchas áreas de su vida, mientras tanto, de tiempo en tiempo llegaba a mi mente la imagen de nuestra madre cuando se despidió de mí aquella mañana. Sus lágrimas llenaban una vez más los surcos que habían sido formados en sus tiernas mejillas a causa del sufrimiento que le había causado mi adicción en las últimas dos décadas. De manera abstracta meditaba en el dolor que todos sentían por mi causa. En momentos mi mente era bombardeada y saturada con los recuerdos de tantas experiencias negativas que había vivido durante aquellos últimos veinte años. Todos aquellos recuerdos me hacían ver el valle de miseria en el que se había convertido mi vida, y paladeaba una vez más el sabor amargo de la conmiseración.

Los próximos tres días fueron intensos, y no fue hasta mucho tiempo después que me di cuenta de todo lo positivo que se podía obtener haciendo uso de los ejercicios que el programa nos inculcaba a practicar. Éstos no eran ejercicios físicos, sino mentales. Allí se nos informaba de los beneficios que se pueden obtener a través de la meditación, la confesión, el pedir perdón y perdonar entre otros. Se nos enseñaba cómo, y lo importante que es hacer un inventario de nuestras vidas, y cómo usar ese inventario para definir momentos en la vida que pudieron marcarnos de maneras negativas, y que por ellos hoy nuestras vidas se encontraban llenas de todo tipo de defectos de carácter que no nos dejan vivir, y disfrutar al máximo nuestras capacidades. Recalcaban casi religiosamente los beneficios de dar sin recibir nada a cambio, y el placer que la mayor parte del tiempo se puede experimentar a través del sacrificio que se pueda hacer por otro ser humano en necesidad. Nos hablaron de lo importante que es ser puntual, y lo mucho más importante que es cumplir con las promesas que hacemos. Al final de aquellos tres días, aunque personalmente no sentí grandes cambios en mí, sí pude notar como muchos de los que compartían aquellos talleres conmigo demostraban cierto grado de liberación en algunas áreas que ellos habían confesado como problemáticas en sus vidas. Una de las experiencias que más recuerdo, tal vez porque me identificaba con ella, fue la transformación de una mujer que había hecho confesión de cómo toda su vida había experimentado un terrible sentimiento de inferioridad, que a su vez la afligía en todas las otras áreas de su vida, especialmente en lo poco atractiva que se sentía al compararse con otras chicas. Noté, ya casi al final de aquellos tres días como aquella mujer demostraba mucha más confianza en ella, su caminar, la forma en que se expresaba, y hasta su postura habían sido transformadas de manera notable.

En el tercer día, y en el último de los talleres se nos pidió a todos los participantes tomarnos de las manos, formando un círculo en el gran salón de conferencias. Seguidamente se nos pidió que cerráramos los ojos. Después de una charla de parte de los que estaban a cargo del programa, informándonos lo importante que era el continuar practicando lo que allí habíamos aprendido si era que queríamos en realidad deshacernos, o aprender a manejar los defectos de carácter que nos agobiaban, y comenzar a vivir vidas más felices, nos pidieron soltarnos las manos. Todavía con los ojos cerrados nos pidieron que nos diéramos vuelta ciento ochenta grados. Seguidamente una suave voz nos indicó que podíamos abrir los ojos.

Abriendo los ojos vi a mi madre parada frente a mí, esta vez con lágrimas de alegría, y en sus pequeñas manos traía un hermoso ramo de flores. Con ella se encontraban mi hermano Moisés, Matilde y su esposo Pito. Mi madre se me acercó, me entregó las flores, me abrazó, y con las palabras más dulces que jamás hubiera escuchado de ella, me susurró al oído cuánto me amaba. Seguidamente los que estaban con ella también se abalanzaron sobre mí, todos llorando de alegría y también diciéndome cuán orgullosos estaban de mí. Pronto me di cuenta de que unas cuantas lagrimas también se me habían escapado mezclándose con las lágrimas de mi madre. Allí nos quedamos disfrutando aquel momento. Después me despedí de algunos de los que allí conocí, y con los que más compartí, y salimos rumbo a Jayuya. Mi madre que estaba sentada a mi lado me tomó de su mano durante todo el camino, mientras los otros se turnaban haciendo preguntas de las experiencias durante mi estadía en el programa. El viaje de retorno a Jayuya se sintió placentero. Creo que la sonrisa permanente en el rostro de mi madre hizo la diferencia.

Los conceptos usados en Lifespring no eran únicos de aquel programa, en diferentes etapas de la vida, de una manera u otra había sido expuesto a ellos. Creo, que lo que hacía el programa efectivo, eran los ejercicios donde estos principios se ponían en práctica. Por ejemplo, el ejercicio de confesar a otro ser humano algún secreto, o algo íntimo, que en nuestro inventario personal reconocíamos como algo que nos hacía daño, y fragmentaba nuestra habilidad de socializar, era algo completamente nuevo para mí. En mi caso personal, el inventario era terriblemente extenso, y se me hizo difícil apreciar inmediatamente todos los beneficios que podía obtener a través del programa en aquel preciso momento, aunque si experimente por un corto tiempo un cierto tipo de euforia positiva por los primeros dos meses después que salí de allí.

Después de aquellos primeros meses, los fantasmas atormentadores del pasado fueron haciendo su entrada una vez más, tiré por la ventana todos los conceptos de Lifespring y busqué refugio de la única que sabía hacerlo... Comencé a usar una vez más. Nuevamente empecé a consumir esporádicamente, pero no tardé mucho en sentir la necesidad de estar bajo la influencia de las drogas las veces que más podía.

Ahora sin trabajo, recurrí a mis viejas artimañas para conseguir dinero. Una noche de abril del año 1998 después de haber compartido unas cervezas con Héctor Marín en su negocio, me invitó fuéramos a beber a otro negocio cercano. Héctor cerró el negocio y nos fuimos a beber al negocio del Jayuyano Evi. Para este tiempo las pastillas Xanax eran muy populares entre los adictos. Esa noche me encontraba bajo la influencia de esta droga.

Después de tomar cervezas con Héctor hasta bien entrada la mañana, lo llevé a su casa que no estaba muy lejos de allí. Por su estado de embriaguez tuve que ayudarlo a entrar a su residencia. Lo senté en el sofá, y emprendí rumbo a mi casa.

Mientras caminaba, recordé que las veces que había estado en el negocio de Héctor, Debajo de un mostrador se encontraba una caja fuerte.

Sin pensarlo y casi de manera automática cambié de curso y me dirigí al establecimiento de Héctor. Colindando con el negocio se encontraba el taller de mecánica Cholo. Me dirigí al taller y del sitio donde tiraban las piezas viejas tomé un amortiguador, y con el forcé la puerta del lado del negocio. Una vez dentro del local fui directamente donde estaba la caja fuerte y como pude la subí en mi hombro y me marché.

Llegué a mi casa, y rápidamente me propuse abrir la caja. Con un pequeño marrón y una chuela, después de un rato pude abrirla. Para mi sorpresa, la caja estaba llena, pero solo de recibos cancelados. Dos días más tarde mientras me dirigía a un taller de soldadura de un amigo que en ocasiones me daba oportunidad de trabajar con él, cerca del taller noté un vehículo con dos individuos dentro. Mientras caminaba cerca del vehículo uno de los individuos hizo seña que me acercara a ellos. Instintivamente noté que eran agentes encubiertos. El que estaba detrás del volante me pregunto el nombre, y una vez me identifiqué me informó que ese día a las tres de la tarde quería verme en el cuartel de policía... Me alejé casualmente de ellos rumbo al taller de mi amigo, pero sabía por qué aquellos agentes querían hablar conmigo.

La caja fuerte todavía estaba debajo de mi cama y tenía que buscar la manera de sacarla de allí lo más pronto posible. Una vez en el taller le pregunté a Ramón el dueño, si me podía prestar su camioneta para ir a mi casa pues me sentía algo indispuesto y tenía medicamentos allá. Ramón sin sospecha alguna dijo que sí. Llegando a la casa saqué la caja fuerte y poniéndola en el vehículo me dirigí a un lago que estaba a unas millas de allí. Una vez en el lago, tomé la caja fuerte y la lancé por un barranco para deshacerme de las pruebas. Pude ver como la caja bajo dando vueltas entre la maleza, y pensé que ya todo estaba arreglado. Regresé al taller y estuve allí hasta la tarde cuando se hizo hora de salir rumbo al cuartel.

Llegando al cuartel expliqué al retén de turno porque me encontraba allí, y él procedió informar al agente que me había parado temprano esa mañana. El agente me llevó hasta su oficina, y sin mediar palabra me preguntó por la caja fuerte. Yo lo miré con cara de sorpresa y le informé que no sabía de lo que estaba hablando.

El agente mirándome fijo a los ojos, dijo: "Bien, si esa es la manera que quieres jugar, ya terminamos aquí". Me levanté de la silla, y cuando salía de su oficina se volvió a dirigir a mí y con voz imponente dijo: "Alguien te vio la mañana que forzaste la puerta del negocio". Cuando me encontraba en el pasillo fuera de su oficina, lo escuché gritar esta vez de forma sarcástica: "¡La hermana de Héctor que vive cerca del negocio te vio, mañana te quiero ver aquí a las siete de la mañana! Piénsalo bien".

El camino de la jefatura a mi casa puede tomar unos veinticinco minutos normalmente, a mí se me hizo una eternidad ese día, pues, aunque el crimen no era tan grave en sí, sabía que de ser encontrado culpable... el dolor que esto causaría a mi madre y al resto de la familia, sí lo era. La mañana siguiente cuando abrí los ojos inmediatamente tomé la decisión de confesar al agente lo ocurrido. Como cordero que va al matadero me dirigí a la jefatura de policía, una vez más invadido por la auto conmiseración, e incapacidad de no poder vivir como un ser humano normal, y en el proceso tener que experimentar y traer a mi familia tanta vergüenza.

Me senté frente al agente, y sin que me preguntara confesé que había escalado el negocio de Héctor. El agente me preguntó que dónde estaba la caja fuerte, y quién me había ayudado a cargarla. Le contesté que la había llevado al lago para deshacerme de ella, pero que yo era el único responsable del robo, que nadie me había ayudado. Él me miró y dijo: "Se me hace difícil creer que tú solo pudiste cargar la caja fuerte. Dime,

¿quién te ayudó?" Le conteste una vez más que nadie me había ayudado, y él dándose cuenta de que decía la verdad desistió en preguntarme de nuevo. Seguidamente, y con voz de autoridad llamó uno de sus agentes e inmediatamente el agente Orlando Gilbes se reportó a la oficina.

"Agente Gilbes busque la Pathfinder blanca, y lleve a Matos a buscar la caja fuerte", refiriéndose a mí. Gilbes con un gesto de su mano me indicó que lo siguiera, y salimos rumbo al lago Caonillas donde yo había tirado la caja. Los treinta a treinta y cinco minutos que nos tomó llegar a el lago, fueron en silencio. Yo sabía quién era el agente Orlando Gilbes, o Cucho como se le conocía por apodo... no íntimamente, pero porque ambos nos habíamos criado en el mismo barrio.

Durante el trayecto al lago no podía concentrarme en nada, los pensamientos corrían por mi mente como torrentes de agua helada, que enfriaban mi alma al punto que aun en aquella cálida mañana de aquella isla tropical, sentía un gran frío en las manos como cuando vagaba las calles de Massachusetts en pleno invierno, por no saber en qué terminaría todo aquello. Cucho tal vez por pena, y sintiendo la angustia que seguramente reflejaba en el rostro, solo se dedicó a manejar y seguir mis instrucciones hacia el lugar donde me deshice de la caja fuerte.

Un rato más tarde le dije que se detuviera, nos bajamos del vehículo, y apuntando con el dedo le indique donde la había tirado. Cucho muy casualmente dijo, "ve...búscala". Cuando me acerque a la orilla del risco, podía notar como el peso de la caja había doblado la alta y espesa vegetación mientras rodó hacia el lago. Me doblé, y miré dentro del túnel que había quedado entre la maleza, pero no la pude ver. Pensé que tal vez había bajado todo el risco y que ahora estaría en el fondo del lago, pero aun así me deslicé entre la maleza para ver si la encontraba. Bajando unos treinta a cuarenta pies siguiendo el rastro marcado por el peso de la caja, finalmente la pude localizar. cuando me acerqué a ella, pude notar que estaba al borde del risco y solo unos finos bejucos habían impedido que callera al agua.

Como pude comencé a rodar la caja para sacarla nuevamente al camino donde me esperaba el agente Gilbes. Lo inclinado del risco sumado a la fuerza de gravedad y el peso de la caja hacían la labor casi imposible. El proceso fue lento, cada cinco a seis vueltas tenía que parar a descansar un poco. Para ahora eran como las diez de la mañana, y el calor de sol tropical junto a el alto grado de humedad en medio de aquel pastizal, ahora me tenían sudando profusamente. Finalmente llegué al camino y con la ayuda de Cucho, pusimos la caja en la camioneta, y regresamos al cuartel donde fui puesto bajo arresto. Después de pasar unos días en el campamento penal de Arecibo, se me dejó en libertad ya que Héctor, el dueño del negocio, por él tener una buena relación con mi hermano Moisés, y supongo por no causar más dolor a mi madre la cual él conocía, decidió por no levantarme cargos.

No mucho después fui intervenido una vez más por la policía que investigaban otro escalamiento perpetrado en un centro geriátrico del cual me tenían como sospechoso. Mientras uno de los policías me hacía preguntas de rutina, otro que buscaba en los alrededores encontró dos pequeñas bolsas de heroína. Inmediatamente me arrestaron, y terminé cumpliendo seis meses de cárcel por posesión de heroína. Cada vez que mi madre llegaba a visitarme, podía ver el peso que cargaba en su corazón una vez más, por causa de este que hoy relata la historia. Durante mi estadía en el penal, Angie la madre de mi hija Tatiana que para esos días estuvo de paseo en la isla, se tomó la molestia de pasar a visitarme. Cuando terminó la visita me dio un abrazo, y susurrándome al oído, dijo que todavía sentía un gran cariño por mí. Terminando la sentencia durante la navidad del año 1998, regresé a casa de mi madre.

Una mañana durante esos días festivos, mi madre, pidió me preparara para que le acompañara al pueblo. Mientras salíamos a la carretera, miré hacia el patio de un vecino, y vi allí a Cirriguillo como le llamaban cariñosamente en el barrio, sentado bajo un majestuoso árbol de toronjas disfrutando una de sus frutas. Inmediatamente recordé cómo en mi mente lo había criticado unos años antes, pensando lo tonto que era, cuando lo vi empujando una carretilla por la empinada cuesta, mientras sudaba profusamente, pero con una sonrisa en su rostro. En la carretilla traía aquel mismo árbol que para entonces era mucho más pequeño, con la intención de sembrarlo en su patio. Aquel día, Cirriguillo me explicó como un conocido le había regalado el árbol, y todo el trabajo que había pasado para sacarlo de donde estaba sembrado, y transportarlo hasta su casa. También me dijo del gran hoyo que ahora tendría que cavar para poder sembrarlo. En aquella ocasión, pensé lo mucho que tendría que esperar para que aquel árbol diera fruto, si era que sobreviviría. Ahora mi madre y yo comenzábamos a bajar la empinada carretera rumbo al pueblo, algo que me pareció extraño pues no la había acompañado al pueblo desde que era niño. Una vez allí, entramos a una tienda donde me compró un pantalón, una camisa y un par de zapatos. Seguidamente nos dirigimos a una agencia de pasajes, y compró un vuelo con destino a Boston Massachusetts a mi nombre. En ese momento, volví a sentir el rechazo de parte de todo el mundo, y mientras tanto una corriente de resentimiento volvió a correr por mis entrañas. Aquel viaje fue algo así, como si de la misma manera que el vecino trasplantó el árbol de Toronjas de la casa de su amigo a la suya para después esperar a que diera fruto, mi madre usó aquel pasaje para trasplantarme de Jayuya a Boston, pues podía notar que mi vida era estéril.

La noche del 31 de diciembre de 1998, noche cuando la gente normal se encontraba reunida con sus seres queridos despidiendo el año y esperando que las manecillas del reloj marcaran las 12, para en medio de abrazos, besos y lágrimas de alegría celebrar juntos la llegada de un año nuevo, yo... me encontré una vez más con mi fiel compañera la miseria, en el vientre de un pájaro de acero rumbo a la ciudad de Boston.

Ya de regreso en Cambridge, me mantuve algo tranquilo. No solo porque así era que sucedía siempre que me trasladaba de un lugar a otro, o como se le llama, un escape geográfico, pero primordialmente porque estaba seguro, que en Massachusetts existía una orden de arresto a mi nombre, por no haberme presentado a corte en el año 1990 tras ser acusado por posesión de heroína.

No estando físicamente adicto a la heroína pude conseguir trabajo en un supermercado, y me mantuve bajo el radar de la ley por los próximos meses. Mientras tanto Angie y yo tratábamos de reconciliar nuestra relación una vez más. Pero en realidad, yo no estaba preparado para entablar relaciones serias con nadie. No porque no quisiera, sino porque, aunque no estaba usando drogas, mis defectos de carácter todavía se mantenían muy arraigados en mí. Todavía a esta edad no contaba con las herramientas necesarias para tener relaciones sanas con otros seres humanos. Aunque lo disimulaba, como lo había hecho toda la vida, tenía una gran batalla en mi interior que no me lo permitía. Todavía me resentía con facilidad, los celos y el egoísmo se escondían como duendes detrás de mi antifaz. El sentimiento de inferioridad me consumía, pues siempre me mantenía comparándome con otros, y en todos los casos terminaba sintiéndome menos que ellos. Pero lo que más nublaba mi ser era el recuerdo de aquella noche de 1989, cuando atente contra mi hijastra. Ella para este tiempo contaba con unos 24 años, y podía notar el dolor que le causaba mi presencia, cuando visitaba la casa de Angie. Está de más decir que entre ella y yo no había existido ningún tipo de comunicación en los últimos diez años. Estoy seguro de que yo era la última persona que ella hubiera querido ver en la vida de su madre...

Mi hija Tatiana contaba con unos doce años para esos días, y aun con ella se me hacía difícil relacionarme. Hacía mucho tiempo que habíamos estado lejos el uno del otro, y a todo esto yo nunca había demostrado cualidades de un buen padre para ella. Todo este ambiente era demasiado para mí. Me volvía a sentir como si estuviera en un escenario, Mi escenario era interno, y la obra era la misma, una batalla mental que se había manifestado durante toda mi vida.

En la primavera de ese año sucumbí nuevamente las drogas. Angie no tardó mucho en darse cuenta y me enfrentó al respecto. Traté una vez más de hacerle creer que estaba limpio, pero ella me conocía mucho mejor de lo que imaginaba. Después de todo, ella sabía cómo cambiaba de personalidad y comportamiento cuando estaba bajo los efectos de la heroína. Ese día me dijo que lo de nosotros no podía ser, y que ella no podía arriesgarse a exponer sus hijas a la inestabilidad, y locura que sería vivir conmigo siendo todavía un adicto. Después de un rato insistiendo que estaba equivocada con respecto a mi uso de drogas, me di cuenta de que no había vuelta atrás. Convencido que ella no cambiaría de opinión, me marché de allí sintiéndome derrotado una vez más... Mientras me alejaba, sentí como si todo el daño que había causado durante tantos años se posó en mis hombros en forma de un gigantesco buitre, sus garras clavadas en mi espalda, mientras con su gigantesco pico y listo para devorarme, susurraba a mi oído que no había razón de continuar. Las paredes de mi mundo seguían cerrándose más y más.

CAPITULO 10
EL SUSPIRO DE LA ORUGA

¡La adicción fragmenta el individuo, el individuo fragmenta la familia, la
familia fragmenta la comunidad la comunidad fragmenta el universo!

Rubéns 1:71

EN EL VERANO de 1999, por el mes de julio comencé a trabajar con
la cadena de hoteles Marriot, en el departamento de Housekeeping.
Trataba de mantenerme tranquilo, pero mi lucha con los demonios in-
ternos seguía en pie. El trabajo consistía en mantener limpias diferentes
áreas del hotel, y el dar servicio a los clientes en sus cuartos. Rápidamente empecé a usar la llave maestra que se me había confiado, para
entrar ilegalmente en los cuartos ocupados y hurtar de ellos prendas,
dinero u cualquier otra cosa de valor para sufragar el costo de la heroína
a la cual una vez más me encontraba adicto.

Por los próximos meses me dedique a hurtar en los cuartos. En el
mes de agosto entre a uno de los cuartos y noté que en él había un gran
número de equipos de los que usan los reporteros en televisión. Como
se me era imposible llevarme aquella cantidad de equipo, llamé por teléfono a uno de mis conocidos y le expliqué la situación. Rápidamente
formamos un plan para hurtar el equipo.

Hipólito se presentaría a el hotel a cierta hora. Yo lo estaría esperando en el lobby, y una vez me viera, le había dado instrucciones que
me siguiera a los elevadores. Entramos al elevador y marqué el piso tres
donde se encontraba el cuarto con el equipo. Saliendo del elevador

Hipólito me seguía a cierta distancia, y una vez llegué a la puerta del cuarto introduje la llave maestra dejando la puerta abierta. Mientras me alejaba de allí, pude ver a Hipólito deslizarse en el cuarto mientras la puerta se cerraba detrás de él.

El próximo día me reuní con Polito como le llamábamos en nombre corto para recibir la parte del botín que me correspondía. Fue un buen golpe, me dijo mientras con una sonrisa en sus labios me entregaba un fajo de billetes indicando que sumarian a dos mil quinientos dólares. Si lo fue, dije mientras chocaba su mano en forma de victoria.

Unos minutos más tarde despidiéndome de Polito, me dirigí a comprar unas cuantas dosis de heroína y ocho gramos de Coca. Esa tarde después de haber consumido la heroína, comencé a usar coca y estuve consumiendo toda la noche y sin dormir me reporté a trabajar el próximo día. Todavía con unos gramos de coca en el bolsillo continúe usando en el hotel. Mientras las horas pasaron comencé a experimentar el pánico que siempre terminaba sintiendo después de usar coca prolongadamente.

En esta ocasión mientras caminaba por los largos pasillos del hotel, sentía que detrás de cada puerta de los cuartos había gente mirando por los pequeños orificios que tenían para identificar cuando alguien tocaba a ellas, mientras se mofaban de mí por la condición desquiciada en la que me encontraba. Era como si pudiera ver los ojos de las personas detrás de los pequeños orificios con sus pequeños lentes de cristal. En ocasiones escuchaba las voces acusándome de ser el cómplice del robo cometido el día anterior. Cuando ya no pude controlar la locura que se manifestaba en mi cabeza, hablé con la supervisora, informando que me sentía mal de salud, y que me tendría que marchar temprano del trabajo. El próximo día regrese a trabajar, y por las próximas semanas continúe robando en los cuartos para costear la necesidad de alimentar mi adicción.

En la mañana del nueve de septiembre de ese año entré a un cuarto, y de la cartera de uno de los clientes extraje cuarenta dólares. Eran como las nueve de la mañana, y ya podía sentir los síntomas en el cuerpo por no haberme inyectado heroína ese día. Entendiendo que los malestares se harían más fuertes según pasaran las horas, decidí ir a comprar unas dosis de la droga con el dinero que acababa de hurtar. Salí del hotel y tomé el tren en la estación Kendal en Cambridge rumbo a la estación Central en la misma ciudad. Una vez en Central, y las puertas del tren abrieron, comencé a subir las escaleras apresuradamente pues tenía que hacer la movida y regresar al hotel antes que se dieran cuenta que no me encontraba en el trabajo.

Cuando terminé de subir las escaleras me encontré en la esquina que forman la avenida Massachusetts, y la calle Prospect. En ese momento sucedió algo que hasta este día se me hace algo difícil describir. Mientras esperaba para cruzar la avenida, no sé si fue audible o fue solo en pensamiento, pero mientras sentía un gran suspiro salir de mis pulmones, de manera extraña lancé una petición al cielo: "¡Dios por favor ayúdame!", pensé, o tal vez dije... Sintiendo el malestar de la enfermedad manifestándose cada vez más fuerte, continué hacia mi destino.

Después de adquirir y administrarme la droga y ya más calmado, aun así, continuaba pensando en el hecho de que me encontraba una vez más en una batalla de la cual no saldría ileso. Todo lo que estaba viviendo, lo había vivido en muchas ocasiones anteriormente y el resultado siempre había sido el mismo. En los veinte tres años que tenía de haber estado consumido, había experimentado pequeños momentos de lucidez en los cuales por mis propias fuerzas había tratado inútilmente dejar la droga, pero siempre tenía el mismo resultado. Ninguna de las experiencias pasadas, habían sido suficiente para que dejara de consumir. La droga me había mantenido en estado de oruga, y tronchaba una y otra vez el sueño de convertirme en una mariposa que pudiera volar libremente.

Ese día no regrese a mi trabajo... me había tardado mucho y sabía que tendría que dar una larga explicación del porqué no me encontraba en los alrededores del hotel. Después de vagar varias horas por las calles sin rumbo, decidí llamar a mi hermana Elizabeth. Mientras hablaba con ella, le expliqué que me encontraba una vez más adicto y que necesitaba ayuda. Elizabeth me pidió, llegara hasta su casa para ella buscar un programa de desintoxicación para adictos donde internarme. La vergüenza de encontrarme una vez más preso de en la adicción me abrumó, y le dije que no llegaría a su casa ese día, pero le prometí que lo haría temprano la mañana siguiente. Esa noche me quedé durmiendo en la banca de un parque cercano a la casa de Elizabeth, y el próximo día llegué a casa como le había prometido.

Tan pronto abrió la puerta me informo que había localizado una cama en un hospital, y que debíamos apresurarnos pues teníamos que llegar antes de las ocho de la mañana al hospital ya que ellos no podían retener la cama después de aquella hora. El diez de septiembre de 1999 fui admitido en la sala de servicios para adictos en el hospital de la ciudad de Somerville Ma.

Yo conocía el proceso ya que había estado en centros de rehabilitación anteriormente. Después de hablar con diferentes personas y dar datos referentes a mi adicción y las diferentes drogas y el método que las usaba, me asignaron una cama. Más tarde me dieron una dosis de Metadona para contrarrestar los malestares que ya se manifestaban en mi por la falta de heroína, y comenzó mi proceso de desintoxicación. El tratamiento consistía en ser desintoxicado con metadona por cinco días para luego pasar a la sala de recuperación por otros cinco días.

Pasados los cinco días de desintoxicación pasé a la sala de recuperación. Los primeros tres días en recuperación se me dio la oportunidad de descansar todo lo que quisiera debido a mi debilidad física. Después del tercer día me informaron de que, si quería, podía empezar a participar de un programa que tenía que ver con terapia en grupo, y con ello tendría la oportunidad de quedarme en el hospital tres semanas extra. El invierno se acercaba y sabía lo difícil que sería si salía de aquel sitio tan pronto. Acepté la proposición que me hacían, solo por el temor de salir a exponerme a las bajas temperaturas que se acercaban y el hecho que no tenía vivienda.

Pasados los primeros cinco días y ya en la sala de recuperación, se me informó que tenía una visita. Cuando llegué a el área de visitantes me encontré con mi hermana Elizabeth quien venía acompañada de mi madre. Ésta fue una grata sorpresa que a la vez se tornaba triste pues detrás de la sonrisa de mi madre, podía ver el dolor que una vez más le causaba el ver su hijo a estas alturas de su vida, todavía batallando con aquella terrible adicción que parecía nunca terminaría.

Ella se acercó, y aunque yo era más grande que ella en estatura, me volví a sentir como un niño pequeño mientras me abrazaba dándome un tierno beso en la mejilla. Cuando nos separamos una vez más pude ver lágrimas llenando los surcos que habían comenzado a ser formados aquel día de mil novecientos sesenta y tres por la muerte del presidente, y que se ahondaron después de tantas noches de llanto por mi culpa. Sus lágrimas de alegría, como perlas de blanca pureza representando su amor por mí, se mezclaban con otras de un color negro como el ébano que representaban el desasosiego de tantos años de angustia.

Mientras nos acomodábamos ella secaba sus lágrimas y a la vez me brindaba una sonrisa como para que no me preocupara por ella. Elizabeth se limitó a vernos platicando, como para no intervenir en aquel momento. Después de preguntarme cómo me encontraba, mami me informó que había venido de Puerto Rico para hacerse unos exámenes pues no se sentía bien de salud. Estuvimos platicando por un rato hasta que llegó el momento donde tenían que marcharse pues las horas de visita habían terminado. Mi madre se levantó de su asiento y dándome un tierno abrazo se despidió mientras me echaba la bendición. Extrañamente durante los segundos que duró aquel abrazo, y aunque ella era mucho más pequeña que yo... Me volví a sentir como un niño pequeño entre sus brazos.

El próximo día me hice presente a la primera reunión de grupo. Narcóticos anónimos es una comunidad de hombres y mujeres que comparten su mutua experiencia, fortaleza y esperanza para resolver su problema común y ayudar a otros a recuperarse de la adicción. Leyó una de las participantes de una hoja de papel. Seguidamente pasó el papel a otro de los que participaba de la sesión, y así uno tras otro fueron leyendo los doce pasos del programa de Narcóticos Anónimos. Ese día no puse mucha atención a lo que se allí se decía.

Según pasaron los días me fui dando cuenta que la intención de las reuniones era que los participantes, expresaran verbalmente sus historiales de cómo se habían convertido en adictos, compartir historias de sus vidas, en especial aquellos momentos que ellos consideraban los habían marcado de forma negativa. Este principio según ellos era uno de los primeros pasos a dar para comenzar la recuperación. Yo me limitaba a escuchar las historias de los otros participantes, y aunque me podía identificar con muchos de ellos, no tenía deseo de confesar a un grupo de desconocidos todos los secretos que traía guardados en mi corazón... Para ser honesto, no podía entender cómo el ponerme a hablar y confesar frente a aquel grupo de personas lo que había sido mi vida, iba a ayudarme a bregar con mi adicción. Después de todo siempre pensé que tenía control de aquella situación.

Después de unos días comenzaron a llevarnos a reuniones de NA y AA que se llevaban a cabo fuera del centro de tratamiento. Nos llevaban a diferentes pueblos para de esta manera familiarizarnos con los diferentes grupos que operaban en distintas áreas. Una tarde del mes de octubre de 1999, nos llevaron a una reunión de AA en el pueblo de Charlestown. Los encargados de llevarnos a estas reuniones siempre hacían énfasis de lo importante que era poner atención cuando las personas daban su testimonio.

La reunión se abrió como era costumbre con la introducción de AA, los doce pasos y las doce tradiciones. Por el momento yo no ponía mucha atención a esta parte de las reuniones, tampoco a lo que cualquier persona pudiera decir sobre cómo la bebida o las drogas pudieron hacerles daño. Después de varios oradores, un hombre que dijo tener 45 años pero que en realidad aparentaba mucha más edad, comenzó a dar detalles de cómo el alcohol le había robado la mayor parte de su vida: "A mí en lo personal no mucho me interesaba escuchar los testimonios de personas alcohólicas. En realidad, siempre vi a las personas con problemas de alcohol como personas débiles. El alcohol, aunque fue la primera substancia que consumí, y que alteró mi manera de pensar, y que me deleitó hasta cierto punto, nunca lo consideré como un problema en mi vida. A decir verdad, trataba, cuando lo consumía de no emborracharme, pues no me gustaba perder control de mi cuerpo. La heroína, sin embargo, me hacía sentir libre mientras me mantenía al tanto de todo lo que ocurría a mi alrededor... especialmente cuando la mezclaba con cocaína".

No sé en qué momento las palabras de aquel hombre que relataba su historia, captaron mi atención. Solo recuerdo que él hablaba de que nunca había usado drogas, y de los malestares que experimentaba cuando no tenía alcohol para consumir. Me extrañó cuando el detalló los síntomas que le causaba el no tener licor en su cuerpo, cosas como el insomnio, vómitos, las alucinaciones, escalofríos, entre otros...Y no podía creer que aquel hombre sufría lo mismo que yo, cuando estaba físicamente adicto a la heroína y no tenía droga para curarme. Lo primero que llegó a mi mente fue que seguramente alguien le había informado que yo estaría en la reunión, y le pidieron que hablara de eso para ver si yo hacía puente con él y podría empezar a considerar que en realidad necesitaba ayuda con mi problema de adicción. Después de todo en todas las reuniones siempre se enfatizaba que el alcohol era también una droga. Yo en mi egocentrismo pensé que confabulaban para tratar de convencerme. Después de la reunión, mientras regresábamos al hospital, las palabras de aquel hombre comenzaron a circular mi mente.

"¿Cómo es posible que una persona que nunca hizo contacto con la heroína pudiese sentir los mismos síntomas cuando solo consumía alcohol?" ¡Me preguntaba! Esa noche me quedé dormido pensando en las palabras de aquel hombre.

CAPITULO 11
GOTAS SOBRE LAS SEMILLAS

En un libro muy famoso, se encuentra un escrito que dice:

Instruye al niño en su camino,
Y aun cuando fuere viejo no se apartará de él.

Proverbios 22:6 RVR1960

O ALGO POR el estilo, en realidad solo parafraseo, pues no soy teólogo. No lo sabía, pero las semillas que mi madre depositó en mí, y que yo ignorantemente rechacé durante toda la vida, comenzaban a ser regadas. Esa noche cuando me recosté, las palabras de aquel hombre se fundieron en mí. Algo había pasado, por alguna razón el testimonio de aquel hombre encontró un espacio vacío en mi alma y trataba de acomodarse en ella. Era como si por primera vez, tomaba realmente en consideración el hecho de que me encontraba en una batalla la cual no podría ganar sin la ayuda de otros. Una y otra vez venían a mi pensamiento las palabras de aquel hombre a mi mente, hasta que me quedé dormido meditando en ellas.

Los próximos días me fui sintiendo más y más atraído a las reuniones y los testimonios que en ellas escuchaba. Pronto sin darme cuenta me encontré gradualmente exponiendo parte de mi propio testimonio, y aunque no compartía cosas muy profundas, fui participando un poco más en las reuniones que se llevaban a cabo en el centro de rehabilitación. Ya hacía unas semanas que no había usado heroína o cualquier otro tipo de droga, y ahora tenía una vez más que bregar con todos aquellos complejos y defectos de carácter que me plagaban, siendo la timidez uno de los que más me afectaba.

Todo esto era nuevo para mí, nunca recuerdo haber entablado conversaciones de aquel tipo, excepto en los días que estuve en LifeSpring, pero de eso hacía mucho tiempo y solo estuve en LifeSpring un fin de semana. No me daba cuenta todavía, pero los principios y conceptos de AA y NA, eran muy parecidos a los que se usaban en los talleres de LifeSpring.

En los últimos días de mi estadía en el hospital, recibí la visita de mi hermana Elisabeth. En esa ocasión me extrañó que mi madre no le acompañaba. Después de unos minutos de plática, Ely me informó que a nuestra madre la habían diagnosticado con un cáncer terminal. Yo no sabía cómo reaccionar a la noticia, después de todo este tipo de interacción era también nueva para mí. Solo una vez anteriormente había estado expuesto a algo parecido cuando en el 1986 mi padre había sido hospitalizado por problemas en sus pulmones que muy poco después le causaron la muerte. En esa ocasión recuerdo que lloré la pérdida de mi padre, pero de una manera extraña, como si era necesario dejarle saber a Angie, quien fue la que me dio la noticia, que en realidad sufría por la pérdida de mi padre. Pero en realidad mi llanto, aunque en parte legítimo, era más bien lo que había aprendido de cómo reaccionaron otros que había visto anteriormente cuando perdían a un ser querido.

En esta ocasión no fue muy diferente, podía entender hasta cierto punto lo que mi hermana decía, pero en realidad emocionalmente no sentía el gran dolor que supuestamente los seres normales deben sentir. Supongo que la coraza que se había formado sobre mi corazón después de tantos años, no me dejaba experimentar lo que en realidad un ser humano debe sentir en momentos como aquel. Pero como pude, una vez más teóricamente demostré que la noticia me afectaba profundamente. Mientras todo esto pasaba, me recriminaba internamente como lo hacía cuando niño por qué no podía sentir cómo sentían los demás. ¿Por qué no siento el dolor que otros demuestran tener en situaciones como éstas? ¿Porque tengo que simular que siento dolor cuando no lo siento? Una vez más los fantasmas atormentadores desfilaban en mi mente cargando pancartas donde aparecían todos aquellos defectos de carácter que me habían consumido desde niño. En esta ocasión el fantasma con la pancarta del egoísmo me acusaba de tanta insensibilidad por los demás seres, incluyendo mi mamá.

Unos días más tarde terminó mi tratamiento, y era hora de salir a ver dónde iba a encontrar posada. En muchas otras ocasiones anteriormente, diferentes miembros de la familia me habían dejado quedar en sus hogares, pero siempre terminaba haciendo algo fuera de orden, y tenía que marcharme a la calle una vez más. No teniendo muchas opciones, me dirigí a las instalaciones del Salvation Army en la ciudad de Cambridge, donde daban posada a personas deambulantes. Nunca había estado en un centro de este tipo, pero la necesidad, y el saber que los vientos invernales se acercaban me ayudaron, (en contra de mi voluntad) a tomar la decisión. Siempre pensé que solo las personas más bajas se quedaban en esos lugares, y nunca me consideré uno de ellos.

La casa de mi hermana no quedaba muy lejos de allí y por las mañanas, como teníamos que desalojar el centro, me iba a su casa, para no estar vagando por las calles. Mi madre se estaba quedando con Ely, y en mis visitas a la casa comencé a compartir un poco con ella. Los doctores no dijeron cuánto tiempo podía quedarle de vida, pero según me dijo Elizabeth, ellos dijeron que la disfrutáramos lo más que pudiéramos porque el cáncer estaba sumamente avanzado e inevitablemente era terminal.

Nunca recuerdo haber disfrutado a mi madre, y ahora con solo unas pocas semanas de abstinencia a las drogas el tratar de hacerlo me ponía una vez más en un sitio que conocía muy bien... simular que disfrutaba su compañía. Todavía ella tenía la misma energía que siempre tuvo, y todavía mientras hacia cualquier cosa en la cocina, cantaba coros, aunque podía notar que ahora su voz, no retumbaba en las paredes como la escuchaba hacerlo en mi niñez. La familia había tomado la decisión de no decirle lo que en realidad le estaba ocurriendo, y mientras la observaba caminar por la casa sentía por primera vez algo de tristeza por ella. O tal vez de una manera egoísta, me sentía triste porque nunca supe apreciarla, todavía no podía hacerlo y no sabía cuánto tiempo quedaba antes que se marchara para siempre, sin tener la oportunidad de lograr sentir aquel grado de sentimientos que observaba el resto de mi familia demostrarle a ella.

Ella con su ternura maternal me atendía de la misma manera que lo hizo toda su vida. Ella fue la única que nunca me cerró las puertas de su corazón. Yo, dando los primeros pasos en mi recuperación, hacía lo que podía para compartir con ella, pero tantos años de adicción habían creado una dura coraza alrededor de mi corazón, que me daba un sentimiento de que todo lo que hacía era una obra de teatro. Todos los vacíos que traté de llenar con las drogas por tantos años, ahora se juntaban para formar una gran fosa oscura, dentro de la cual caminaba sin tener idea hacia dónde me dirigía.

Recordando la sugerencia que me dieron cuando salí del hospital, de buscar grupos de apoyo, seguí visitando las reuniones de AA y NA que se llevaban a cabo en el área de Cambridge. Poco a poco fui sintiéndome más y más cómodo en las reuniones.

El programa de AA y NA están basado en sugerencias, y la práctica de los doce pasos. Una de las muchas sugerencias que resonaban casi religiosamente en los grupos era, lo necesario que le era al adicto conseguir un padrino. Un padrino, escuchaba una y otra vez decir, va a ser la persona, que si realmente toma su rol como padrino podrá ayudarte a navegar el proceso de la recuperación. También enfatizaban que debíamos ser cautelosos y prudentes para escogerlo. En los grupos como en cualquier otra entidad; ya sea Religiosa, Clubes Sociales, etcétera... para dar ejemplo, podemos encontrar muchos individuos que, aunque tal vez tienen buena intención, y puedan tener mucho tiempo en estos círculos, no están capacitados para manejar asuntos de profunda complejidad y pueden por ende hacer más daño que bien al individuo que lo toma como padrino.

Durante las próximas semanas mi participación en los grupos aumentaba. El escuchar los testimonios de hombres y mujeres que sin temor y de forma cruda hablaban de sus experiencias durante sus vidas en la adicción... me fueron estimulando, y sin darme cuenta me unía a ellos, y poco a poco comencé a hablar, no solo del infierno que habían sido los últimos veinte y tantos años de mi vida, también la de mis familiares y amigos, incluyendo también a todas aquellas personas que por casualidad se cruzaron en ella.

Durante el mes de noviembre de ese año, encontrándome en una reunión de NA me llamó la atención el testimonio de un hombre llamado Moisés. Ya había escuchado este hombre hablar en ocasiones anteriores, pero ese día sus palabras captaron mi atención como nunca. Moisés era un hombre más joven que yo, pero aparentaba más edad. Algo que me cautivaba de él, era que nunca parecía estar triste... siempre se veía muy alegre, y ya fuese al comenzar o terminar su intervención en la reunión... siempre daba gracias a Dios por haberle permitido vivir otro día sin tener que estar bajo el yugo de las drogas. Pero en realidad, ese era un término que la mayor parte de los que compartían sus testimonios usaban muy casualmente. Más en el caso de Moisés cuando él lo decía... yo lo podía sentir como una declaración genuina...Tal vez porque Moisés, casi siempre en su testimonio, abiertamente declaraba que, aunque él estaba contaminado con el virus VIH, cada día que pasaba si usar drogas era un día en victoria para él.

La actitud de Moisés me impactaba, por esos días él se encontraba atravesando por momentos difíciles relacionados a su condición... En realidad, no se veía muy bien físicamente. En cambio, yo que me encontraba en mejor condición de salud, no podía sentir el gozo que emanaba de él. En realidad, su actitud de manera extraña me causaba celos porque, aunque ya hacía como dos meses y medio que no usaba, todavía sentía que me ahogaba en el mismo mar de complejos que siempre derribó aquella pequeña barca de papel que era mi vida.

Moisés me recordaba a alguien, pero no podía imaginarme quién era. Me tomó unas semanas deducir quién era esa otra persona que también como él llevaba aquel espíritu de regocijo y agradecimiento por dentro. Moisés tenía el mismo espíritu de mi madre. Un día después de terminar una sesión, me acerqué y le pregunté si él podía ser mi padrino. Moisés muy calmadamente dijo: "Mi hermano yo no tengo mucho tiempo que se diga en esto de la recuperación", pero que, si yo quería hablar con él, estaría a mi disposición para hacerlo. Esa tarde nos dirigimos a una cafetería y mientras disfrutamos un café, comenzamos a intercambiar historias de nuestras vidas en la adicción. Según la conversación progresaba, pude sentir un nivel de tranquilidad que a este día solo he podido experimentar con pocas de los miles de personas que he conocido. Ese día después de despedirnos, mientras caminaba rumbo a la casa de mi hermana, pensé en Moisés, en el hecho que había aceptado ser mi padrino... y sentí que algo sonrió dentro de mí.

Llegando a la casa me encontré con Elisabeth que también acababa de llegar. Todavía afuera, Ely me saludó y prontamente dijo: "Rubén he estado pensando... Me gustaría que vengas a quedarte con nosotras... - refiriéndose a nuestra madre y sus hijas Samantha y Tannya (que vivían con ella) - nosotras nos vamos a trabajar y estamos mucho tiempo fuera. Si vienes a quedarte acá sería bueno, pues le puedes hacer compañía a mami". Mi corazón dio un salto en mi pecho. La última vez que ella me había dado posada unos años antes, tuvo que más tarde echarme, pues con mi uso de drogas me convertí en un gran peso emocional para ella y sus niñas.

Las pocas pertenencias que poseía las traía conmigo, pues en el centro donde dormía no podía dejar nada. Ely me dijo que como todas las habitaciones estaban ocupadas, el único lugar donde podría dormir seria en una esquinita en el piso de la sala. Esa noche después de dar las buenas noches a todos, me fui a mi rincón, tendí las frisas que me habían dado y me acurruqué en mi esquinita... creo que aquella fue la primera vez en mucho tiempo, que me acostaba sintiendo un gran agradecimiento dentro de mí. La siguiente mañana al despertar aquel sentimiento todavía me acompañaba. Algo estaba pasando en mi vida... En los ojos de mi madre podía ver un brillo que hacía muchas décadas no había notado...También notaba el mismo brillo en los rostros de mis otros familiares. Quién sabe... tal vez aquel brillo siempre había estado con ellos y nunca lo había notado...

Una mañana al salir de la casa, no había caminado media cuadra cuando al cruzar la calle vi en un edificio, un rótulo con las palabras Grupo AA concepción. Esto me tomó por sorpresa pues hacía muchos años que había caminado por aquel sitio, y nunca había notado aquel rótulo. Crucé la calle y tomé nota del horario de reuniones. Ese día tendrían reunión de seis a ocho de la noche.

Esa tarde me encaminé a el grupo Concepción. Llegué al lugar y como si hubiese sido mi casa, abrí la puerta y entré. Allí se encontraban varios de los miembros del grupo y rápidamente entramos en conversación. Éste era un grupo mayormente compuesto por personas procedentes de centro y Sudamérica. A diferencia de los grupos americanos, aquí las reuniones se llevaban a cabo en español, y muy pronto después de varias sesiones también observé que a diferencia de los grupos americanos donde se mantenía un ambiente por decirlo de alguna manera tranquilo donde nadie retaba o contradecía el testimonio de otro miembro, en las sesiones del grupo concepción, tal vez por la cultura de aquellos hombres... el dime que te diré era la orden del día. Era completamente normal para ellos la confrontación referente a que calidad de recuperación cualquier miembro podía estar llevando, y en el proceso se atacaban verbalmente de manera que al principio pensé que no tardarían en agredirse físicamente. Este tipo de comportamiento en personas que proclamaban estar en un proceso de recuperación lo encontraba como un poco extraño.

Después de haber asistido a varias reuniones con ellos, pensé que ese no era mi lugar. Aquel tipo de contienda casi de manera permanente entre los miembros del grupo me hacía cuestionar cuán realmente sobrios estaban aquellas personas, y aunque venía de un mundo de caos donde las discusiones y la violencia eran muy común, el estar bajo la influencia de la droga me permitía lidiar con ese tipo de comportamiento en la calle, más ahora sin la estimulación de la droga, volvía a ser el hombre extremadamente pasivo, y tímido que siempre evitaba las confrontaciones.

Este tipo de comportamiento de estos individuos me intimidaba y no podía concebir que en aquel sitio pudiese avanzar mucho. Después de haber asistido a varias reuniones en el grupo Concepción, decidí que no regresaría, pues no me era atractivo la manera en que estos hombres llevaban el plan de recuperación. Aun cuando en sus intervenciones testimoniales entremedio de la algarabía y la contienda, ellos se jactaban de cuánto tiempo tenían en recuperación. No quiero por esto decir que en muchas de las intervenciones no se hablaba de conceptos básicos del programa de alcohólicos anónimos, como lo son los 12 pasos y las 12 tradiciones y se desplazaba mucha de la literatura, pero mi experiencia en otros grupos no me dejaba imaginar quedándome con ellos. En los otros grupos la forma de llevar las sesiones era mucho más calmada y me atraían mucho más.

Después de todo venía de un mundo de casi tres décadas de caos, y creo que instintivamente buscaba aguas más tranquilas. No lo sabía en aquel entonces, pero eso que llaman choque cultural, comenzaba a manifestarse entre aquellos hombres y yo. Sin embargo, siguiendo otra de las sugerencias de la sociedad de alcohólicos y narcóticos anónimos, la cual exhortaba a que hiciera todo lo posible para asistir las reuniones que más pudiera y que en el proceso no mirara al mensajero, sino que escuchar el mensaje, continué visitando el grupo Concepción. E inclusive aun sintiendo cierto desagrado por el comportamiento de este grupo de hombres centroamericanos, me hice miembro oficial del grupo.

Durante mi estadía en el hospital, y en todas las reuniones de alcohólicos y narcóticos anónimos que visitaba siempre se sugería que, si de verdad queríamos adquirir cierto grado de sobriedad, era necesario que hiciéramos todo lo posible por asistir a las reuniones que más pudiéramos. También exhortan a que de la misma manera que cuando estábamos en la calle, y poníamos toda nuestra energía para conseguir fuese droga o el alcohol para mitigar nuestro estado deprimente, que así de esa misma manera lo hiciéramos y que pusiéramos toda la energía en buscar grupos y sesiones para asistir a ellas y así de esa manera darnos una mejor oportunidad a la recuperación.

La animosidad que sentía por aquellos hombres, descubrí más tarde, que no era por su comportamiento. En realidad, era mi falta de entendimiento referente a sus costumbres, ya que nunca había compartido de una manera tan íntima con personas de otros países. Entiendo que algo que ayudaba a que se me hiciera difícil recibir estas personas en mi vida, fue porque también en la calle el grupo de personas con el que me relacionaba que 98% de las veces eran puertorriqueños como yo, sutil y directamente me fueron adoctrinando acerca de su propia animosidad hacia personas de otros países y yo por ende adopté también esa forma de pensar.

Uno de los eventos que ayudó a cambiar mi forma de pensar referente a ellos, fue que unos días más tardes de hacerme miembro del grupo ellos me invitaron hacerme cargo de la literatura del grupo. En una reunión de trabajo se hizo una votación, y unánimemente todos aceptaron que el cargo se me diera, y esa misma noche me entregaron un inventario de la literatura y $125 dólares que había en la tesorería. Pero eso en realidad no fue lo que me empezó a hacer cambiar de opinión.

Lo que comenzó a hacer que mi mente girara, fue que esa misma noche después de salir del grupo... crucé la calle, llegué a la casa y una vez allí me di cuenta de que el sobre que ellos me habían entregado con $125 dólares se me habían perdido. Rápidamente salí a la calle a ver si lo encontraba, pero lamentablemente no lo pude encontrar. Lo primero que llegó a mi mente fue que estos hombres no iban a creer la historia de que el dinero se me perdió dado el caso que ya yo había compartido con ellos la clase de persona que yo había sido hacía escasamente unos meses antes. "Seguramente no me van a creer que el dinero se perdió y se van a imaginar que yo lo usé para comprar drogas con él", pensaba yo.

Para mi sorpresa el siguiente día cuando llegué a la reunión, cuando me dieron la palabra les dejé saber a ellos lo que había sucedido, y muy casualmente ellos me dijeron que no había problema que esas cosas pasaban y que no me preocupara por el asunto. Aunque no fue inmediatamente, la reacción de estos hombres ante la situación me hizo sentir más cómodo con ellos.

Durante este tiempo muchos de los amigos de la familia que se habían enterado de la condición de nuestra madre, se daban la tarea de venir a visitar la casa de mi hermana, y extrañamente, también en ellos podía ver aquel mismo brillo que observaba en mi madre. Aquel brillo me confundía, después de todo ellos tenían conocimiento del cáncer terminal que reclamaba la vida de nuestra madre, y que tal vez esa podría ser la última vez que la vieran en vida... pero aun así parecía que el mundo entero brillaba. Creo que aquellas sonrisas y abrazos cálidos que me brindaban todos eran también gotas del cielo, que seguían cayendo sobre las semillas que mi madre había depositado en mi tierno corazón cuando aún era un niño.

Una tarde después de una reunión invite a Moisés a tomar café en la casa, para que de una vez conociera a mi mamá. Cuando llegamos ella se encontraba en la cocina y tan pronto los presenté, se saludaron con un abrazo de esos que se da la gente que hace mucho tiempo no se ven. Nos pusimos a platicar mientras ella preparaba el café y pude notar la aprobación de mi madre hacia él. La energía de Moisés era contagiosa y ella la recibió muy bien. Creo que instintivamente ella pudo detectar que aquel hombre, aunque había tenido un pasado trágico por causa de las drogas, era completamente diferente a todos los otros amigos que ella había conocido a lo largo de mi vida. Rápidamente el salir de la reunión y pasar por la casa con Moisés, se convirtió en algo muy normal. Podía notar cuánto le agradaba a mi madre verme llegar con él, y tan pronto llegábamos, preparaba café y nos sentábamos a hablar. Bueno yo más bien los escuchaba, pues la capacidad de verbalizar mis pensamientos era muy limitada para ese entonces. A Moisés le gustaba orar, y el hacer una oración con mi madre antes de despedirse se convirtió en algo común.

A mediados de diciembre después de salir de la reunión del medio día, en vez de ir a visitar a mami, moisés y yo fuimos a tomar café en el Dunkin Donuts situado en la Massachusetts Ave en Cambridge. Después de compartir un rato me dijo que tenía que marcharse, pero que quería hacer una oración antes de partir.

Acepté la sugerencia, pero para mi sorpresa y antes de poder reaccionar sentí que Moisés me tomaba de las manos allí en medio del establecimiento. Un cierto grado de pánico se apoderó de mí. Qué tal si alguien pasa y nos ve tomados de mano pensaba yo. Después de todo el establecimiento se encontraba en la misma área donde yo por muchos años caminé en mi vida de adicto. Tal vez para muchos no es nada, sin embargo, hasta este día, puedo recordar la textura ruda en las manos de Moisés cuando tomó mis manos y elevó una oración al cielo dándole gracias a Dios por habernos dado otro día de sobriedad.

CAPITULO 12
EN LAS ALAS DE JESÚS

FINALIZANDO EL MES de diciembre de 1999, se podían notar los estragos que el cáncer hacía en el cuerpo de mi madre. Ella aún caminaba y hacía sus quehaceres, pero definitivamente su cuerpo se desgastaba rápidamente. En esos días ella comenzó a quejarse de dolores en su cuerpo, y su doctor le recetó Percocet, unas pastillas con propiedades opiáceas para aliviar su dolencia. Una noche desperté al oír los quejidos de mi madre, y fui a su cuarto a ver qué sucedía. Una vez allí ella me preguntó que si podía traerle su medicamento. Fui al gabinete tomé el frasco de Percocet en la mano y muy casualmente extraje una pastilla de él. Poniendo un poco de agua en un vaso me dirigí al cuarto de mi madre para darle la pastilla. Después de tomarse el medicamento con voz muy frágil, me preguntó si podía darle un masaje en el costado porque ella sentía que tenía gases que le causaban dolor. Tomando un pomo de una crema llamada Maslac, puse un poco en la yema de mis dedos y procedí a darle un masaje. mientras mis dedos frotaban su suave piel no pude evitar pensar que a sólo unos centímetros de mis dedos y arraigado en una de sus costillas había un tumor de cáncer terminal. Durante este proceso la familia había optado por no informarle a ella exactamente cuál era la gravedad del problema de salud que la acosaba. Unos minutos más tardes después que la pastilla hizo efecto y el dolor cesó, ella me dio las gracias por haberle dado el masaje y me echó la bendición. Regresé a la esquina de la sala donde dormía y meditaba en lo que había sucedido, en especial el hecho de que aquel medicamento que yo le daba a mi madre, en tiempos pasados lo obtenía ilegalmente en la calle para mitigar la enfermedad cuando me encontraba sin heroína. Sin embargo, aquella noche tuve la droga en mi mano, pero no sentí la más mínima tentación de consumirla, esto me pareció algo muy grande considerando el poco tiempo que no consumía, y el tipo de adicto que había sido.

Mientras el tiempo pasaba, tuve la oportunidad de darle unos cuantos masajes más a mi madre mientras esperaba que ella se quedara dormida después de haberse tomado su medicamento. Y cada vez que terminaba uno de nuestros encuentros, regresaba a mi esquina, y no recuerdo en qué momento comencé a dar gracias a Dios por no haberme dejado ser tentado por aquel frasco de pastillas.

Continué visitando los salones de alcohólicos y narcóticos anónimos las veces que más podía como se me había dicho durante mi estadía en el hospital, y como se sugería en casi todas las sesiones que acudía. El año 1999 llegaba a su fin, y el día 31 de diciembre despedí el año dándole un masaje en el costado a mi madre.

Unos días más tarde en enero del año 2000, y ya muy entrada la tarde sentí que alguien tocaba la puerta del apartamento de mi hermana. Abrí la puerta y me encontré frente a frente con mi hija Tatiana que para este tiempo contaba con unos 13 años, su mamá Angie y seguidamente detrás de ellas estaba Glenda su hija mayor y contra la cual atente unos 10 años antes. Tatiana me abrazó, y dándome un beso, rápidamente se dirigió al cuarto de su abuelita. Tatiana amaba a su abuelita, en realidad nunca conocí un ser humano que no amara a mi madre. Allí detrás de Tatiana la seguía Angie, ella también me abrazó muy dulcemente, y después de preguntarme cómo estaba, también se dirigió al cuarto.

Entonces miré, y allí en el umbral de la puerta se encontraba Glenda. Al notar su presencia sentí una gran vergüenza que permeaba cada rincón de mi cuerpo, mi espíritu y alma. La única reacción que tuve fue de echarme un lado y girar la cara para no mirarla a los ojos. Mientras estaba allí paralizado y lleno de vergüenza, sentí que alguien me abrazaba, mientras con una dulce voz, dejaba suavemente caer estas palabras en el tímpano de mi oído: "Todo está bien Rubén, todo está bien". No sé por cuánto tiempo Glenda me tuvo en sus brazos, pero pareció una eternidad... y sin darme cuenta en ese momento experimenté la capacidad de perdonar que tienen los seres humanos. Aquel momento quedó por siempre estampado en mi corazón.

Días más tarde mientras me encontraba en una reunión del grupo Concepción, la puerta del grupo se abrió y pude notar la silueta de Tanya la hija menor de mi hermana. Tanya tendió su mirada alrededor del salón hasta que se cruzó con la mía, e inmediatamente sin ella decirlo me di cuenta porque ella estaba allí. Mientras caminábamos a la casa, ella confirmó mis sospechas... "abuela ha fallecido tío", me dijo con lágrimas en sus ojos.

Décimas del hijo ausente. Éste es el título de una canción interpretada por Manuel Caban Vales mejor conocido como El Topo. Esta canción la había escuchado por primera vez en Alemania mientras servía en las fuerzas armadas, allí donde unos diecinueve años atrás había sido arrestado y procesado por el tras riego de drogas. Mientras caminaba con mi sobrina en dirección a la casa... las letras de aquella canción comenzaron a retumbar en mi mente.

Cuando llegamos a la casa, ya gran parte de la familia se encontraba allí reunida y pude notar rápidamente el vacío que la partida de nuestra madre dejaba en ellos.

Después de estar con mis hermanos y hermanas unos minutos, de una manera casi inconsciente me dirigí al cuarto donde yacía el cuerpo de mi madre. Me senté a su lado, tomé su mano y por un momento reflexioné en todo lo que quise decirle, pero que por la incapacidad de expresarme no pude mientras ella estuvo en vida.

Poco a poco la casa fue llenándose de otros familiares, y amigos que venían a compartir su pésame con nosotros. Habían pasado 37 años desde que vi a mi madre llorando la muerte del presidente Kennedy en la cocina de nuestro hogar cuando era un niño. Por muchos años la vi llorar por diferentes razones, ahora ya no habría más lágrimas, ahora descansaba, ya no tenía que preocuparse más. Ahora el espíritu de mi madre abría sus alas al igual como lo hacían las mariposas que crié de niño para volar al cielo.

Mis hermanos y hermanas hicieron los preparativos para hacer un velorio en la ciudad, y así darle oportunidad a todos aquellos que conocieron a mi madre de decirle adiós. Más tarde el cuerpo de mi madre sería trasladado a Puerto Rico para darle cristiana sepultura. Mis hermanos dándose cuenta de mi estado económico unieron sus fuerzas para asegurarse de que yo también los acompañara al entierro de mi madre. La noche antes del viaje a Puerto Rico, Los compañeros del grupo Concepción una vez terminada la reunión se arremolinaron a mi alrededor y mientras me sugerían que no debía desfallecer, y que aún la muerte de un ser querido no era razón para volver de nuevo atrás, uno de ellos me entregó un sobre diciéndome que era una pequeña recolecta que habían hecho para mí, ya que ellos sabían que no tenía empleo.

Esa noche mientras empacaba una pequeña maleta para el viaje, abrí el sobre que me habían dado los compañeros, y noté que allí dentro había $300 dólares. Se me hacía difícil pensar que aquel grupo de personas que hacía tan poco tiempo conocía mostrarán tal grado de gentileza hacia mí. Aquella noche mi respeto para aquellos hombres comenzó a nacer en mí.

Después del velorio en Puerto Rico, trasladamos el cuerpo de nuestra madre al cementerio y allí tal y como se lo había pedido ella en vida, su gran amigo Toño Arroyo soltó unas palomas blancas en su memoria. Mirando las palomas recordé, cómo cuando de niño soltaba las mariposas... Recordé cómo volaban hasta no poderlas ver... Aquella tarde soleada y no muy lejos de las colinas donde esperaba las mariposas en mi niñez, el espíritu de mi madre representado en aquellas palomas voló al cielo para encontrarse con Jesús quien en sus alas la llevaría a ver al Padre Celestial, en el cual ella nunca dejó de tener Fe.

El pastor que llevaba a cabo el sepelio preguntó si alguno de la familia quería decir algunas palabras. Sin pensarlo me dirigí a él y tomando el micrófono de sus manos le canté a mi madre las Décimas de un Hijo Ausente, esperando que de alguna manera ella pudiera escucharla, y así se diera cuenta de lo que en realidad quise decirle antes que falleciera, pero que no pude. Entonces como una avecilla herida después que pierde a un ser querido canté...

Madre de ti me alejé,

Seguí caminos inciertos,

Pero te llevo en recuerdos,

Como una ofrenda de fe,

¿Qué buscaba? No lo sé,

Pero algo me llamaba,

Y a la vez que me alejaba,

Dentro de mi pensamiento,

Sentía como ahora siento,

Que el mundo se me acababa.

Qué triste estará la casa,

En el rinconcito aquel,

Donde me dabas la miel,

De tu ternura diaria,

Y cuánto me atormentaba,

Probar alimento ajeno,

Pues sabía que, en tus sueños,

Mi nombre rezos decía,

Pensando si volvería,

El hijo de tu desvelo.

Voy caminando y me encuentro,

Llevo triste la pisada,

Las experiencias pasadas,

Penas y angustias me dieron,

No valió la pena pienso,

Conocer y ver el mundo,

Esto siento cuando acudo,

Cuando regresó hasta ti,

Aunque todo lo perdí,

No perdí tu amor profundo.

Había cerrado los ojos mientras cantaba a mi madre, cuando los abrí, pude notar que no había un solo ser humano de los que allí se habían congregado, que al igual que yo no tuviese lágrimas en sus ojos también.

Mientras se llevaba a cabo el sepelio, noté que había otro entierro llevándose a cabo en el cementerio aquel día. Más tarde me enteré de que era el sepelio de un joven de 26 años que había muerto de una sobredosis de heroína. También me enteré de que aquel joven había estado desaparecido por tres días antes que lo encontraran muerto. El sitio donde encontraron aquel joven era el mismo sitio que muchas veces frecuenté para inyectarme mientras vivía en Puerto Rico en los años 90.

Muchas veces he reflexionado en aquellos dos sepelios. Mi madre por un lado vivió una larga vida, y aunque fue una vida de muchas lágrimas, sé también que tuvo la oportunidad de disfrutar momentos de felicidad con sus hijos, sus nietos y sus amistades. La vida de aquel joven sin embargo fue truncada prematuramente por las drogas y la adicción. Meditando en eso, me di cuenta de que fueron muchas las veces cuando mi vida también pudo haber sido tronchada prematuramente, pero que gracias a las oraciones de mi madre y a la misericordia de Dios, no fue así.

Días más tarde de regreso en los Estados Unidos continué aferrado al programa de alcohólicos y narcóticos anónimos. Las sugerencias que allí recibía seguían tocando rincones de mi alma que antes no habían tocado. "Si te quedas con nosotros", oía una y otra vez en los grupos, "Te sucederán cosas que ni tú mismo puedes imaginarte son posibles en estos momentos. Si te pegas, aunque sea mínimamente a los 12 pasos de recuperación del programa, poco a poco tu vida y la vida de aquellos a tu alrededor será enriquecida grandemente", me decían los compañeros. Por supuesto cuando decían que mi vida sería enriquecida... yo pensaba que ellos hablaban de enriquecimiento por medio de dinero.

Aquellos conceptos eran difíciles de aceptar en esta mente embrutecida, por tantos años de adicción como era en mi caso. Pero había algo dentro de mí que quería creer lo que aquellos hombres me decían. "Se honesto contigo y con los demás", era otra de las sugerencias que constantemente escuchaba en los grupos. Esta sugerencia en particular se me hacía muy difícil aceptar ya que habían sido muy pocas las veces en las que fui honesto conmigo o con otro ser humano en el transcurso de la vida. Pero a la misma vez recordaba que ellos también me decían que la recuperación era poco a poco, que tomara las cosas un día a la vez y todo estaría bien.

Durante una reunión de AA, escuché uno de los compañeros hablar de lo importante que era para los que llegábamos nuevos a los grupos, el hacernos exámenes físicos para detectar si en nuestras andanzas habíamos adquirido alguna enfermedad o virus que debiera ser tratado. Una de las importancias decía el compañero, era que si uno se encontraba infectado con algún virus y no éramos diagnosticados no solo poníamos en riesgo nuestras vidas, sino también las vidas de personas allegadas a nosotros como a nuestras esposas o novias especialmente si las enfermedades eran sexualmente transmitidas. Las palabras de aquel hombre fueron como un cubo de agua fría. En el pasado había sido monitoreado para detectar enfermedades como el virus VIH, pero hacía tiempo desde mi último examen y en ese transcurso había compartido agujas hipodérmicas con muchas personas. Algunas de estas personas fueron gente que no conocía, y que jamás volví a ver. Esa noche cuando puse mi cabeza en la almohada, solo podía ver las caras de tantos adictos con los que había compartido agujas en el pasado. Una y otra vez los rostros de aquellos adictos daban vueltas en mi mente en un torbellino que pensé no me dejaría dormir. Unos días más tarde, lleno de temor me dirigí a una clínica pública para que me hicieran los exámenes necesarios. En esa ocasión me hicieron pruebas para detectar el virus VIH, y de paso me hicieron una prueba para hepatitis C.

Unas semanas más tarde regresé a la clínica para que me dieran los resultados. El doctor me miró directamente a los ojos y de manera muy casual me informó que el examen del virus VIH era negativo pero que lamentablemente había salido positivo con el virus de hepatitis C. Yo no sabía mucho respecto a lo que era la hepatitis C, y le pregunté qué se podía hacer al respecto. El doctor me informó que según los exámenes aparentemente hacía relativamente poco tiempo que había sido expuesto al virus, y que tendríamos que esperar uno seis a siete meses para ver cómo el virus se manifestaba en mi hígado. También me informó que en realidad no existía tratamiento para la hepatitis C, aparte de una droga experimental que apenas había salido al mercado en aquellos días. Según el doctor los efectos secundarios de aquella droga eran bastante fuertes.

Esa tarde en la casa me puse a leer los panfletos que el doctor me había dado con la información referente al virus, y los daños que por lo regular puede causar. Cuando leí sobre la cirrosis hepática y de cómo ésta se puede convertir con el tiempo en cáncer del hígado, me sentí muy angustiado. La noticia fue como un gancho al costado que sacaba todo el aire de los pulmones. Debo confesar que ese día me enfurecí con Dios... y en mi mente le preguntaba... "¿Por qué?" ¿Por qué ahora que trataba de hacer las cosas bien, Él permitía que tuviese aquel virus dentro de mí? Fueron muchos los días que estuve rebelde con Dios por su injusticia hacia mí. Pasaron varias semanas antes que diera a conocer el diagnóstico sobre la hepatitis C.

En el programa también se hacía hincapiés de que en muchas ocasiones íbamos a tener que hacer cosas que no queríamos hacer si era que queríamos alcanzar algún grado de recuperación.

Una de estas cosas era arreglar nuestros estados legales con la justicia. Yo tenía un caso pendiente desde el 1989, por el cual tenía una orden de arresto. Después de meditarlo unos días, me dirigí al precinto policiaco de la ciudad de Cambridge y me entregué a la justicia.

Cuando fui llevado frente al juez, él me preguntó que dónde me había encontrado todos esos años. Poniendo en práctica las sugerencias de ser honesto, le dije que me había marchado a Puerto Rico para no enfrentar los cargos de posesión y distribución en mi contra. Mirándome de arriba abajo me preguntó si yo había acabado de salir de algún centro de detención porque mi físico demostraba bastante salud. Le respondí que no, que la razón por la que me encontraba en aquella condición física era porque hacía varios meses había optado por no usar drogas, y que me encontraba participando de los programas de recuperación de AA y NA. Después de mirar mi expediente una vez más, se dirigió a mí diciéndome que la sentencia era un año de probatoria, en el cual tenía que recolectar firmas en los grupos, y dárselas a mi oficial de libertad condicional para comprobar que seguía asistiendo a ellos. Otra de las condiciones era que iba ser monitoreado sin aviso previo por medio de exámenes de orina, para ellos asegurarse que no me encontraba usando drogas. A parte de eso, también debería hacer diez horas de trabajo comunitario semanales, por ocho semanas. Esa sería hasta el día de hoy, la última vez que me encontraría frente a un tribunal de justicia como acusado. Los días se hicieron semanas, las semanas meses, y yo continué haciendo lo que tenía que hacer según fue dictado por el juez.

Para el mes de abril del año 2000, decidí que era tiempo de buscar trabajo. Esto me causaba un alto grado de ansiedad, por varias razones. Primero que ahora a mis 43 años, pensaba que ya estaba viejo, y que nadie se interesaría en darme trabajo. También recordaba que las veces en la que tuve trabajo anteriormente, siempre tuve problemas de adaptación. Uno de mis mayores problemas era que siempre estaba atento a lo que otros trabajadores estaban haciendo, y eso impedía que me concentrara en lo que me correspondía como trabajador. Esto siempre causaba que tarde o temprano me resintiera, y dejara el trabajo pensando que no se me trataba equitativamente como lo hacían con los otros trabajadores. Otra cosa que me causaba temor o dudas era el hecho de que no tenía estudios, y nunca me había preparado en algún tipo de trabajo especializado. Aun así, con todos mis temores y sentimientos encontrados, contacté una agencia de trabajo temporeros para ver si tenían trabajo para mí. La recepcionista dijo que me presentara a las oficinas de la agencia para llenar una aplicación. A los pocos días me llamaron para informarme que tenían trabajo para mí, seguidamente me dieron una dirección donde debería presentarme para comenzar a laborar.

Me hice presente a la ciudad de Medford donde trabajaría haciendo limpieza en un edificio que estaba bajo construcción' el trabajo era asistiendo a los diferentes contratistas que allí se encontraban trabajando. La próxima semana se me envió al pueblo de Quincy para también servir como obrero para una compañía de construcción llamada T-Ford. Cuando me reporté a trabajar, noté que allí también se había reportado otro individuo de la misma compañía temporera a fungir también como obrero. Una vez nos reportamos al supervisor del proyecto, él nos informó que al cabo de dos semanas uno de nosotros, refiriéndose a el otro individuo y a mí, sería escogido para quedarse trabajando en el proyecto hasta el final. Esto me puso algo nervioso, pues esto significaba que tendríamos un tipo de competencia a ver quién de los dos rendía mejor labor, y a mí en lo personal, nunca me habían gustado las competencias. Esto era algo que traía desde pequeño, tal vez por el hecho de que siempre me considere incompetente en todas las áreas de mi vida.

Sin embargo, pasada la primera semana, me fui dando cuenta, por lo menos en lo que podía ver, que mi rendimiento parecía ser mucho mejor que la del otro obrero. Esta sospecha fue confirmada cuando al final de la segunda semana, se me informó que sería yo el que se quedaría trabajando. Esto me alegro muchísimo y no podía esperar llegar para darle la noticia a mis compañeros del grupo Concepción. Esa noche en la reunión les dejé saber la noticia, y en vez de celebrar conmigo, la mayor parte de ellos me sugirieron que, aunque sí era una buena noticia, era muy importante no emocionarme demasiado. Las emociones, son por lo regular una navaja de dos filos para los adictos me dijeron. Por eso debemos tener mucho cuidado cuando nos emocionamos demasiado. También me contaron historias de personas que por haberse emocionado demasiado, terminaron celebrando con una botella de licor o recayendo en las drogas. Esa noche me sentí algo resentido con los compañeros, pero en el fondo algo me decía que ellos sólo deseaban lo mejor para mí.

Mientras los días pasaban, seguí cumpliendo con las reglas estipuladas por el juez, y tratando de seguir de cerca las sugerencias de mis compañeros. Regularmente me reunía con Moisés y compartíamos íntimamente sobre las cosas que nos sucedían en el diario vivir. El compartir con él, me estimulaba para poder seguir abriéndome cada día más cuando daba mi testimonio en el grupo Concepción, y muchos otros grupos que visitábamos en el área de Boston y el estado de Rhode Island. Poco a poco, y de manera casi religiosa fui metiéndome de lleno a participar en las actividades del grupo como se me había sugerido, y cada día sentía más deseos de permanecer en el movimiento de AA y NA.

Unos meses después en el verano del año 2000 Ron Maker el supervisor del proyecto donde me encontraba trabajando me informo que Jack Enos, uno de los dueños de la compañía deseaba hablar conmigo. Algo nervioso le pregunté si él sabia la razón por la que querían hablar conmigo, pero me dijo que no y que me dejaría salir más temprano ese día para que me reportarse a la oficina de la compañia. El resto del día y más tarde mientras manejaba en dirección a la oficina, lo pasé pensando mil cosas por las cuales tal vez me querían hablar, y todas ellas eran negativas... seguramente se enteraron de mi pasado pensé... de seguro me dirán que no podré continuar trabajando para ellos, aunque en sí no era un empleado permanente de la compañía. Hubo momentos en los que bajo cierto pánico pensé no reportarme a la cita y así no tener que recibir la mala noticia de que mis servicios ya no eran necesarios.

Pero de pronto casi podía oír las voces de mis compañeros y sus sugerencias en relación con la manera negativa de pensar que compartimos la mayor parte de las personas que sucumbimos a una vida de adicción, y como aun después de haber dejado de consumir nuestras mentes en muchas ocasiones siguen naufragando en un mar de pensamientos negativos.

Llegando a las oficinas, me reporté con la secretaria la que a su vez me indicó cómo llegar a la oficina de Jack. Tocando tímidamente en el marco de la puerta que se encontraba abierta, escuché la voz de Jack invitándome a entrar. Una vez frente a su escritorio, Jack, un hombre blanco y de gran estatura se levantó de su silla y me estrechó su mano saludándome mientras se identificaba. Después de presentarse me pidió que me sentara y mientras lo hacía, todavía algo nervioso por no saber el propósito de la reunión me di cuenta de un diploma que colgaba en la pared que tenía las siglas MIT. Conocía aquellas siglas, aquellas eran las siglas del Instituto de Tecnológico de Massachusetts, localizado precisamente en Cambridge sólo a unas cuadras de la calle Columbia donde pasé muchos años esclavo de las drogas. En aquella misma institución, alrededor del año 1977 se me abrió una oportunidad de ser entrenado en su laboratorio dental a través de un programa que beneficiaba a personas de bajos recursos, pero después de haber sido aceptado, e inclusive haber dado un recorrido por el laboratorio, el día que me tocaba comenzar el entrenamiento no me presenté... Sabiendo lo reconocida que era aquella institución a nivel mundial, me di cuenta que estaba en la presencia de un individuo altamente capacitado académicamente y eso me intimidó bastante. El no haber terminado el cuarto año de escuela superior, si no solo a través de un curso avanzado por el cual obtuve un diploma de equivalencia, siempre me había hecho sentir inferior a las personas que habían continuado sus estudios en universidades o colegios.

"Rubén", se dirigió Jack hacia mí en una voz suave que en cierta forma no encajaba con la estructura de su cuerpo... "la razón por la que quiero hablar contigo, es porque el supervisor del proyecto en que estas trabajando me ha hablado cosas muy positivas de ti. Él me reporta que eres muy puntual, que tu ética de trabajo es muy buena, y que te desempeñas muy bien en diferentes áreas de la construcción". Las palabras de Jack fueron como un aliciente que instantáneamente erradico el nerviosismo que me había estado atacando. Era como si no hubiese respirado desde que entré a la oficina, y ahora de nuevo volvía a sentir aire en los pulmones.

Después de darme datos sobre la compañía y su historia, me dijo que él y su socio Tom Ford, estaban buscando llenar una plaza y que por lo que habían oído acerca de mí ellos pensaban que era un buen candidato para llenarla y hacerme un empleado permanente de la compañía. Esto me hizo sentir extremadamente bien. En la mayor parte de mis experiencias pasadas en lo que a empleos se refiere, la mayor parte de las veces fui despedido por una cosa o la otra. Después de comenzar muy entusiasmado, pronto comenzaba a llegar tarde, o en muchas ocasiones por mi constante recaer en las drogas, no podía rendir el trabajo asignado de manera satisfactoria y siempre terminaba perdiendo el empleo. Aquel día sin embargo me encontraba allí con Jack, y éste diciéndome que estaba impresionado con mi ética de trabajo... yo ni sabía que tenía ética de trabajo.

Después de recalcarme que le interesaba darme empleo permanente, y preguntarme si me interesaba la oferta, procedió a explicarme que solo había un detalle que se podía interponer en ello. Me explicó que para el poder emplearme, tendría que pagar una multa de $14,000 dólares a la compañía temporera que me enviaba a trabajar con él por cuestiones de contratos legales que se habían firmado. Siendo muy sincero, me dijo que, aunque había escuchado muchas cosas buenas de mí, aún no me conocía lo suficiente para comprometer $14,000 dólares por mis servicios, pero que él personalmente se comunicaría con la compañía temporera para asegurarse de ellos no me fuesen a enviar a trabajar a otro sitio y con otra compañía. Dada por terminada la reunión, volvió a estrechar su mano y me dijo que estaría en contacto conmigo.

¡WOW! Era lo único que pensaba mientras manejaba hacia la casa. No puedo decir que esa era la primera vez que alguien se dirigiese a mí de una manera positiva, y aunque habían sido pocas sí había pasado anteriormente, pero esta vez había algo diferente. Esta vez pude sentir que Jack genuinamente había visto potencial en mí, aunque no estuviese dispuesto a pagar $14,000 dólares por mi potencial; sus palabras me dieron esperanza y eso fue suficiente para mí. Cada vez que tenía buenas noticias las compartía con los compañeros del grupo, y también con mis hermanos y hermanas los cuales también demostraban su alegría con mis pequeños logros.

Cada vez que ocurrían aquellos pequeños avances, no podía dejar de meditar en lo que los compañeros me seguían diciendo noche tras noche en las reuniones de alcohólicos anónimos. Ellos siempre repetían, que, si seguía asistiendo a las reuniones, me mantenía sobrio y era honesto conmigo y con los otros seres humanos grandes cosas me iban a suceder. También me decían, que no era que la vida iba a ser color de rosa pues tarde o temprano iba a experimentar las bajas también, pero que al final del día las cosas buenas superarían por mucho las cosas negativas.

Mi vida cambiaba rápidamente, Aunque a tan temprana recuperación todavía se me hacía algo difícil apreciarlas de manera profunda. Aquel verano experimentaba creo que por primera vez una energía que posiblemente no había experimentado desde que era niño. Todo era diferente, como si hubiera nacido de nuevo. Cada día me levantaba con más deseos de vivir, y cada día se me hacía más fácil darle gracias a Dios por haberme dado un día más de vida.

En el mes de agosto de ese mismo año Jack volvió a comunicarse conmigo para preguntarme si todavía me interesaba hacerme empleado permanente de la compañía. "Por supuesto", le contesté, e hicimos una cita para vernos de nuevo. El día de la cita Jack me explicó que el proyecto en el cual había trabajado los últimos meses estaba por terminar, y que el dinero que tendría que pagar a la compañía temporera ya no era la misma cantidad. Ya habían pasado varios meses desde la última vez que hablamos y ahora la cantidad a pagar sería $4,500 dólares, los cuales él estaba dispuesto a pagar.

"Jack, tal vez no se dé cuenta, pero por dentro estoy saltando de alegría por el interés qué ha puesto en mí, pero tengo que decirle algo antes que continuemos", le dije. "Primero, soy un adicto en recuperación de una adicción crónica a la heroína y la cocaína que se extendió por 23 años, hace 10 meses que no usó drogas, y por el momento no pienso volver a usar. La razón por la que le digo esto, es porque si después de darme empleo usted hace un chequeo de mi pasado y se da cuenta la clase de individuo que yo era, tal vez se arrepienta de haberme empleado", continúe diciendo... "Estoy dispuesto en este o en cualquier otro momento, si es que todavía tiene la intención de darme empleo, de dejarle saber cualquier cosa que usted quiera saber de mi pasado. Segundo, pertenezco a la sociedad de alcohólicos y narcóticos anónimos, y es ahí donde he encontrado una forma nueva de vivir, y es a través de estas sociedades que me he convertido en el empleado que usted reconoce en mí hoy. Tercero, si después de haber escuchado todo esto y todavía está dispuesto a darme empleo, debe saber que, si en alguna ocasión me pide que trabaje un sábado, y tengo un compromiso para ese día con la Sociedad, no podré venir a trabajar ese día".

No me daba cuenta, pero en ese momento estaba practicando varios de los pasos del programa de alcohólicos anónimos que hacen hincapié sobre lo necesario que es reconocer nuestra enfermedad, y también el de ser honesto con nosotros y con los demás seres humanos. Muy tranquilamente después de estas palabras, Jack mirándome con sus ojos grises, estrechó su mano nuevamente y diciéndome que por mi honestidad él hoy confiaba más en mí que ayer, abrió una carpeta donde ya traía las aplicaciones de trabajo y procedió a tomar mis datos, haciéndome así un empleado oficial de su compañía. Terminando de llenar los documentos necesarios, volvió de nuevo a darme la bienvenida.

Mas tarde meditando en la reunión que tuve con Jack, llego a mí el recuerdo de mi padre. Fueron pocas las veces que pude ver sus ojos porque siempre los cubría con sus gafas oscuras, pero por lo que recordaba de ellos, su color era muy similar a los ojos de Jack. Era como si finalmente a través de Jack, mi padre hacía un gesto de aprobación, que finalmente comenzaba a convertirme en un hombre. Deseé tener a mi padre a mi lado en aquel momento, abrazarlo y decirle cuanto sentía haberle avergonzado tanto. Besar las lágrimas que en ocasiones vi salir detrás de sus gafas obscuras para consolarlo y preguntarle porqué lloraba. Saber que podía estar afligiendo su corazón tanto, que no lo dejaba demostrarme su amor, perderme en su abrazo y decirle cuánto lo amaba. "Mi viejo, nunca me pude perder en tus manos... nunca me pude perder en tus ojos grises".

Nunca supe cómo fue la infancia de mi padre, si fue amado o terriblemente maltratado, o cualquier otra cosa que pudo contribuir para que su carácter fuese tan frío. Mientras hacía el inventario de mi vida sugerido por los alcohólicos anónimos, descubrí que yo no era tan diferente a él. Yo me había convertido en una versión aún mucho más fría de mi padre. Entonces, solo entonces, pude tener compasión de él, y entender que él no quería ser como era... sino que los golpes de la vida lo habían transformado en aquel ser incapaz de demostrar afecto. Entrelazando mi caminar con el de él, pude finalmente perdonar a mi padre. Mientras estuve confinado en la prisión militar en Leavenworth en diciembre de 1983, experiencia que estoy seguro, fue otra de las tantas puñaladas que el recibió durante su vida... en un pequeño momento de claridad compuse este verso, el cual es aliciente cuando recuerdo a aquel hombre... y hoy no tengo duda, de que, si volviera a nacer, no desearía ser engendrado por ninguno que no fuere Don Manuel Matos... Este verso es para ti padre mío.

Temprano estuve llorando,
Porque no podré salir,
En la navidad y oír,
Mi viejo el cuatro tocando,
Él ya lo estará afinando,
Con su tacto tan divino,
En mi mente está conmigo,
En su mente estoy con él,
Y aunque no lo pueda ver,
Sus notas me dan abrigo.

Bendición Viejo.

Una y otra vez cosas positivas me seguían sucediendo, tal y como los hombres del programa decían iban a ocurrir. Aun con los temores que todavía como un remolino daban vueltas dentro de mí, cada día era como si naciera de nuevo. Por las mañanas me levantaba lleno de energía, y con ganas de vivir... jamás en mi vida me había sentido así. Inclusive el trinar de aquellas aves que años anteriores me parecía repulsivo... traían un sonido diferente, e inclusive hasta agradable a mi oído... Creo que empezaba a saborear las mieles de la recuperación de las que hablaban en las reuniones.

Una tarde llegando del trabajo y entrando a la cocina noté que allí se encontraba mi sobrina Tanya con una amiga. Tanya me dio un abrazo como de costumbre, y luego procedió a presentarme su amiga la cual estaba sentada de espaldas hacia mí. "Él es mi tío Rubén", le dijo a su amiga mientras esta se levantaba para saludarme. Cuando quedamos frente a frente, inmediatamente sentí la sangre helarse en mis venas. Allí frente a mí estaba la mujer que hacía muchos años atrás, y a la cual mientras ella y su familia fueron a enterrar su abuelita, yo saqueé su casa por cinco días consecutivos, y terminé destruyendo la navidad de su familia, pues no solo había robado todas sus pertenencias, sino que, en mi desesperación, abrí todos los regalos que estaban bajo el árbol de navidad.

"Tanya", dijo la mujer en tono emocionante, y demostrando gran sorpresa en sus ojos... "Yo conozco a tu tío... Rubén, tanto tiempo... ¿cómo has estado?" Me preguntó mientras me daba un tierno abrazo. Me senté con ellas y charlamos un rato. Ella se sintió muy alegre cuando se enteró que me encontraba libre de las drogas, y que me encontraba militando en las sociedades de AA y NA. Durante el tiempo que estuvimos platicando, yo no podía dejar de pensar en lo que había sucedido años antes y en la mente me preguntaba si ella sabía que yo había sido el que le había robado. Como pude mantuve la compostura, y un rato más tarde me excusé para ir a mi reunión de AA.

Los días siguientes los pasé pensando en aquel reencuentro casi en su totalidad. También meditaba en la sugerencia que tantas veces había escuchado en las reuniones respecto a hacer enmiendas siempre que se pudiera. Cada día pensaba en cómo iba a hacer para pedirle perdón a aquella mujer por el daño que le había causado. Pensé en hablar con mi sobrina para que me facilitara el número de teléfono de su amiga, pero no podía reunir suficiente valor para hacerlo. Unas semanas más tarde mientras salía de una sucursal del banco Citizens, me encontré con la amiga de Tanya que entraba al banco en esos momentos. Una vez más ella demostró su alegría al verme. Charlamos brevemente y luego nos despedimos. No había dado dos pasos cuando algo dentro de mí, dijo: "Este es el momento de hablar con ella y confesarle lo que hiciste". Rápidamente me resistí a aquel pensamiento y continúe caminando. Pero de nuevo volví a sentir como si alguien, esta vez aún más fuerte me hablaba diciéndome: "Tienes que hablar con ella".

En ese momento, de manera - no sé si llamarla automática - me di la vuelta y como si hubiera estado poseído por algo más fuerte que yo, llamé su nombre. Ella se volteó hacia mí y con palabras entrecortadas le dije que necesitaba hablar con ella. Una vez más frente a frente, la miré a los ojos y le dije: "Necesito que sepas que para el año 1987 cuando fueron a enterrar a tu abuelita, fui yo quien se introdujo en tu casa y se robó todo. Fui yo el que como un monstruo desgarré el sueño de tu niña aquella navidad. Quiero decirte que siento mucho haberles causado tanta angustia. Por mucho tiempo he tratado de imaginar el dolor que sintió tu niña cuando regresaron, y encontraron la casa hecha pedazos... y que encima de eso alguien se había llevado sus regalos de navidad. Sé que ustedes sufrieron... pero jamás he podido perdonarme lo que hice al corazón de tu niña". Después de expresarle mi sentir, le dije: "Sé que no puedo borrar lo pasado, pero quiero pedirte perdón por lo que les hice". Después me ofrecí, a que por lo menos me dejase hacer alguna reparación monetaria como restitución. Para ese tiempo ya tenía algunos ahorros, y pensé era lo menos que podía hacer.

Después de haberme escuchado, y de manera serena mirándome aún a los ojos me dijo: "No Rubén, no tienes que darme nada, el saber que Dios con su misericordia te levantó de aquel infierno es recompensa suficiente para mí. No sabes lo alegre que me sentí cuando te vi en casa de tu sobrina... no sabes lo alegre que me siento de ver que Dios está obrando en ti". Entonces después de una pequeña pausa me dijo: "¿Sabes? Siempre recuerdo aquellos días cuando ustedes pasaban horas, y en ocasiones días sin dormir corriendo frente a mi casa. Yo miraba desde mi ventana, con el corazón hecho pedazos mientras miraba a mi padre y a mi madre envueltos en aquel caos... En mi mente preguntaba, "Dios, ¿cómo es posible que estos seres no se puedan dar cuenta del infierno en que se encuentran? Yo miraba desde la ventana, Rubén... pero algo siempre me llamaba la atención cuando te veía a ti. Era como si podía sentir que tenías algo especial, te miraba y aunque hacías lo mismo que hacían todas aquellas personas... te veía diferente... siempre te vi diferente... era como si en medio de toda aquella oscuridad... había una luz que te protegía... Hoy entiendo por qué era que podía ver aquella luz... Dios siempre estuvo contigo. No... No tienes que darme nada... hoy con tu honestidad me has dado el mayor regalo... hoy me das el regalo de la esperanza... mi padre murió adicto, mi madre aún vive, pero sigue siendo adicta... hoy me das la esperanza de que ella también algún día pueda encontrar la luz, y así no muera adicta".

Luego con lágrimas en sus ojos me abrazó y me dio las gracias. Hoy, 21 años después de aquel encuentro, lágrimas de agradecimiento bajan por mis mejillas... Hoy 21 años después, doy gracias a Dios por haber usado aquella mujer, al igual como usó a Glenda unos meses antes... para enseñarme su misericordia, a través del perdón. Noté más tarde en la vida, que aquella mujer era otra de las mariposas que había soltado cuando niño que regresaba a traer el pedacito de alma que se fue con ella en mi infancia y que había dejado mi vida fragmentada. No tengo la menor duda que ese día aquella mariposa, guiada por Dios llenaba otro de los espacios vacíos en mi corazón.

El mes de septiembre se acercaba, y con él mi primer aniversario en sobriedad. Los muchachos en el grupo se mostraban muy excitados y contentos, pues me encontraba próximo a cumplir lo que ellos llamaban ese elusivo primer año que pocos alcanzan. Después de todo, durante aquel primer año, fueron muchos los que llegaron al programa buscando ayuda a su problema de alcoholismo, o adicción a las drogas... pero ninguno se pudo quedar.

El día diez de septiembre del año dos mil, y rodeado por mis compañeros del grupo Concepción, miembros de otros grupos del área, Angie, mi hija Tatiana, mi sobrina Tania y Moisés mi padrino, por la gracia de Dios, celebré mi primer año libre del yugo de las drogas. Ese fue un momento lleno de nostalgia pues no podía recordar que en mi infancia se me haya celebrado un cumpleaños. Sin embargo, estos hombres que apenas había conocido solo un año atrás se habían encargado de todos los pormenores, para que yo pudiese disfrutar aquella celebración. Antes de cortar el pastel y comer se llevó a cabo una reunión dedicada a mí. En esa reunión los que hablaron, uno por uno después de felicitarme, se dieron a la tarea de dejarme saber que un año no era la meta. Que ellos habían visto muchos pasar por aquellos salones, incluso muchos arribaron a su primer año solo para más tarde morir de nuevo, término que usaban mis compañeros cuando se referían a los que volvían a recaer. También me dijeron que tratara de no emocionarme demasiado pues las emociones pueden ser una espada de doble filo para un alcohólico o drogadicto en proceso de recuperación. Después que la mayoría de los presentes hablaron, se me dio la palabra para que diera un poco de mi testimonio, como se hacía tradicionalmente en ese tipo de celebraciones. Cuando me paré frente al pódium, casi no podía contener las lágrimas de alegría que forzosamente querían desprenderse de mis ojos. Después de tender la mirada a través del pequeño local donde nos reunimos, me encontré con los ojos de Angie y seguidamente con los de mi hija y podía ver la alegría que ellas manifestaban al verme allí limpio y libre de las drogas. Lo que sentí en aquella ocasión es todavía un poco difícil de describir. Un año... pensaba yo más tarde esa noche mientras me encontraba meditando en mi pequeño espacio en la sala de mi hermana... un año... en realidad no lo podía concebir muy bien todavía. Sí sabía que se había cumplido un año libre de drogas, pero en realidad no sabía cómo había pasado, y meditando en todo lo que había ocurrido en aquel primer año, y lo que me habían dicho los compañeros en la reunión de celebración... me quedé dormido.

CAPITULO 13
ORACIONES Y MILAGROS

AUNQUE FUI CRIADO en un ambiente religioso por parte de mi madre, nunca me sentí parte de aquel movimiento. A muy temprana edad las enseñanzas religiosas, que fueron las primeras a las que estuve expuesto comenzaron a chocar con lo que después se me enseñaba en la escuela. Los primeros conceptos con los que luché fueron los de la creación por parte de la iglesia, y la evolución por medio de la escuela. No recuerdo exactamente cuando estos conceptos comenzaron a traer un cierto grado de caos a mi vida, pero sé que definitivamente tuvieron un masivo impacto en ella. Posiblemente este conflicto de opiniones sobre cómo los seres humanos llegaron a ser, fue el primer gran problema que no podía resolver. Mientras estaba en el salón de clase tenía que someterme a la creencia de la evolución, para más tarde en un templo tener que aceptar que fuimos creados por Dios. Ese fue tal vez el primer dilema que se encargó de hacerme sentir un tipo de personalidad dividida. No sé porque a tan tierna edad tomé aquel conflicto de manera tan personal, solo sé que no lo pude evitar, y siempre causó gran confusión en mí.

El barrio donde me crie estaba compuesto en su mayoría por familias que seguían el catolicismo como religión, y unas pocas familias como la mía que se autodenominaban cristianos evangélicos. Ésta, creo fue una de las primeras variantes que de manera sutil me hicieron sentir diferente a los otros niños, especialmente a los de aquellas familias devotas al catolicismo. Pude notar a temprana edad, que, aunque las dos religiones declaraban servir al mismo Dios, las reglas para los evangélicos y los católicos eran muy diferentes. Cosas como el hecho de que los católicos podían beber licor, bailar y vestir de manera diferente entre otras, eran criticadas y condenadas por los pastores evangélicos, y se nos exigía de manera casi dictatorial que debíamos seguir aquellas reglas si era que queríamos llegar al cielo. Está de más decir que tratar de seguir todas aquellas reglas se me hacía imposible, y cada vez que violaba alguna de ellas, un gran sentimiento de decepción hacia mí mismo inundaba todo mi ser. Todo esto era muy confuso para mí.

Algo que me causó mucho dolor en la infancia, era cuando alguien cruelmente se refería hacia los evangélicos o pentecostales como gente loca, ya que mi madre era una de aquellos evangélicos, y muy devota a sus creencias religiosas.

CAPITULO 14
METAMORFOSIS

LA METAMORFOSIS DE oruga a mariposa se tarda aproximadamente un mes... las condiciones para que la mariposa emerja y pueda volar tienen que ser perfectas. Por eso cuando tenía once años, aquella mariposa emergió con tan solo un ala. El hecho que la crisálida se desprendiera de donde estaba anclada, y el haber pasado tanto tiempo de lado, distorsionó el proceso. Yo estuve en estado de oruga la mayor parte de la vida, primero a través de mi niñez por los complejos que tenía, y más tarde por la adicción a las drogas, también por el sentido de culpabilidad que arrastraba, producto de todo el daño que causé a tantas personas... Ahora ya completado mi primer año de sobriedad, sentía grandes cambios en mi vida... pero todavía, también sentía grandes vacíos en ella. Era como si finalmente hubiese emergido de la crisálida, pero por haber estado tanto tiempo en un mundo de caos, hoy emergía con solo un ala. Ya no era oruga, pero todavía no podía volar. Supongo que a mi temprana recuperación quería volar alto, pero no tenía la capacidad de entender el concepto de tomarlo 'Un día a la vez' y que 'poco a poco se va lejos' sugerencias que noche tras noche escuchaba en las reuniones.

Para el mes de octubre del mismo año ya se había cumplido el tiempo necesario para hacerme los exámenes de sangre una vez más, para ver cómo se manifestaba el virus de la hepatitis C del cual había sido diagnosticado meses antes. Para este tiempo siendo empleado permanente de la compañía T-Ford, contaba con un mejor seguro de salud, así que me di a la tarea de conseguir un especialista en hígado, para que hiciera el nuevo diagnóstico. Sin perder tiempo me puse en contacto con un especialista de hígado en la ciudad de Boston llamado Dr. Trey.

El día que me presenté a la cita llevé conmigo los resultados del examen inicial donde se me había diagnosticado con el virus. En la cita le expliqué al doctor gran parte de mi historial como adicto. Después de escucharme, me dijo que seguramente en un compartimiento de agujas con otro adicto fue como me expuse al virus. El Dr. me envió al laboratorio para hacerme los análisis de sangre pertinentes, y dijo que estaría en contacto conmigo tan pronto tuviera los resultados.

Unas semanas más tarde, mientras me encontraba lavando los platos en la casa de mi hermana, el teléfono sonó y al contestar escuche la voz del doctor: "Hola, ¿hablo con Rubén Matos?", pregunto... "Sí", le respondí algo nervioso pues automáticamente, pensé que la razón de la llamada no traería buenas noticias. "Rubén, primeramente, necesito asegurarme de que la persona con quien hablo es el paciente Rubén Matos, y para esto tendré que hacerte ciertas preguntas personales... esto es necesario para proteger la privacidad del paciente", continuó el doctor. Para este entonces mi nivel de ansiedad se encontraba por las nubes. Después de contestar varias preguntas, y quedando el doctor satisfecho que efectivamente era yo con quien hablaba, prosiguió diciendo: "No quiero que te alarmes por la llamada... porque en realidad la noticia que tengo para ti es sumamente buena". Estas palabras no cambiaron mucho el estado de ansiedad en el que me encontraba, mientras el doctor continuó diciendo: "Sr Matos, la ciencia todavía no sabe exactamente cómo, pero la realidad del caso es que hay un pequeño porcentaje de la población, en la que sus cuerpos tienen la capacidad de erradicar el virus de hepatitis C por sí mismos, y usted pertenece a ese grupo. Los exámenes de sangre indican que efectivamente usted estuvo expuesto, y contrajo el virus, pero también detectaron los anticuerpos que erradicaron el virus, ¡felicidades!".

Lo que había sido un mar de ansiedad tan solo unos momentos antes, se transformó en un suave oleaje de emociones al escuchar aquellas palabras, lo primero que acudió a mi mente fue la Fe que mi madre siempre demostró cuando hablaba del poder de sanidad que podía ser aclamada a través de la oración... y en ese momento quedé convencido que, aunque mi madre había fallecido, sus oraciones todavía estaban vigentes... No tuve la menor duda en aquel momento que Dios me había sanado.

Mientras el doctor se despedía, me informo que pronto recibiría una carta en la cual certificaba que yo estaba libre del virus, me di cuenta de que algo poderoso había sucedido en mi vida aquella mañana... y esto me hizo derramar incontables lágrimas de felicidad y agradecimiento. Ese día quise mucho más a mi madre... ese día deseé una vez más tenerla allí, ¡Frente a mí para darle las gracias por haberme mantenido en sus oraciones! Por abrir la puerta en los momentos en que más lo necesité... por llevarme al cuarto y con su corazón destrozado al ver su hijo hecho pedazos, pedirme que me acostara a descansar, y más luego con su rostro marcado por el dolor, regresar a mi lado con una taza de té, o tal vez una sopa... más era un deseo que sabía ya no era posible. Aun así, en mi espíritu le di gracias.

CAPITULO 15
CÓMO NO CREER EN DIOS

WILKINS, UN CANTANTE puertorriqueño interpretó una canción con este título muchos años antes. Hoy era como si el título de mi vida pudiese ser ese. las cosas que me sucedían eran algo así como divinas. Una vez alguien dijo: "Cuando tratas de hacer las cosas bien, el universo conspira para que se logren" (Creo que lo leí en el libro El Alquimista por Paulo Coelho) En esos días era como si todos los astros se alineaban para que me sucedieran todas aquellas cosas. En tan solo un año y unos días de haber sido liberado de las drogas la vida me sonreía de manera extrema. El año 2000 llegaba a su fin, y tenía mucho por lo que ser agradecido.

En el año 2001, Glenda con la cual para este tiempo tenía una mejor relación, me informó que estaría contrayendo matrimonio y me preguntó si yo aceptaba ir a su boda. Cuando escuché estas palabras, sentí una vez más (como ya pasaba con regularidad) que mis ojos se llenaban de lágrimas. Con gran emoción y alegría le dije que sí, por supuesto iría a su boda... y le di las gracias por ser tan amable conmigo. Después de todo este era el mismo ser contra el cual yo había atentado en el 1989. Una vez más podía ver como algo más grande que yo se encargaba de bendecirme sin que lo mereciera. El 26 de octubre de ese año junto con otros familiares celebramos la boda de Glenda Lee Torres y Chris Baca... (Las bendiciones continuaban llegando).

Durante ese mismo año continué dejándome llevar lo más que podía por aquellos hombres que Dios había puesto en mi vida a través del programa, y sirviendo mucho más afanoso en el grupo. Siguiendo sus sugerencias me fui convirtiendo poco a poco en un mejor padre para mi hija. La relación con Angie y Glenda también florecía cada día más, lo cual era muy gratificante. En el trabajo las cosas marchaban extremadamente bien, y me encontraba en una condición de salud óptima. Éstas seguramente eran parte de las llamadas mieles que se me prometió saborearía en el programa, si trataba de seguir los 12 pasos de AA, aunque fuera de manera mínima.

El servicio en el programa era extenso, y mientras el tiempo pasaba adquiría más responsabilidades en el grupo. Para entonces, no tenía duda alguna que este era mi sitio, y las cosas que se manifestaban en mi vida eran prueba de ello. Poco a poco mientras continuaba haciendo mi inventario personal, podía discernir cosas del pasado que tuvieron que ver con la deformación de lo que había sido mi vida, mediante la confesión de las cosas que hice, y que afectaron gravemente no solo a otros sino a mí personalmente, fui encontrando una liberación que nunca había experimentado.

Unos meses después de celebrar mi segundo aniversario libre de drogas, recibí una carta del banco, donde hacía apenas dos años había por primera vez en mi vida abierto una cuenta de ahorros. En la carta se me informaba que calificaba para un préstamo de $250,000 dólares si era que me interesaba comprar una casa. Yo no podía creer lo que estaba leyendo, y después de leer la carta unas dos o tres veces más, llegué a la conclusión de que alguien en el banco había cometido un grave error. El próximo día llamé el banco para dejarles saber del error que habían cometido, y así evitar que la persona que aprobó aquel préstamo se metiera en problemas. Después de todo, ¿cómo era que me iban a aprobar un préstamo, y de aquella cantidad, si estaba seguro de que no tenía historial de crédito para ello?

"No es un error Sr. Matos", me informó la mujer que me atendió, después que le expliqué el porqué de mi llamada. "Efectivamente, usted ha sido aprobado para dicho préstamo, solo tiene que pasar por una de nuestras sucursales para llenar los formularios pertinentes", siguió diciendo.

Redactar los primeros 43 años de mi vida fue bastante fácil, describir en estas hojas las emociones que corrían por mi cuerpo cada vez que uno de estos milagros llegaba a mi vida ha sido mucho más desafiante, aún hoy mientras escribo esta historia caminando mis 20 años de recuperación.

Una vez más llegaba al grupo con la noticia de lo que me había sucedido con el banco, y mis compañeros con su sabiduría, se encargaban de mantenerme enfocado para que aquellas emociones no fueran a convertirse en piedra de tropiezo para mí. Y a la vez compartían su alegría por los logros que obtenía, recalcando una y otra vez lo importante que era mantenerme firme en el programa. "Solo estás arañando la superficie de una mina de oro de la cual más será revelada según sigas practicando estos doce pasos" me decían aquellos hombres noche tras noche.

A mediados de junio del 2002, recibí una llamada de Angie en la cual me decía que Tatiana estaba embarazada. "Tatiana me pidió que no te lo dijera porque tiene miedo a cómo tú vas a reaccionar", me dijo Angie con voz entrecortada. Tatiana solo contaba con dieciséis años, y en un microsegundo, pensé que su vida se había arruinado... que después de aquel embarazo tendría otro, después otro, en fin, en aquel microsegundo me imaginé a Tatiana cargada de hijos y su vida sin futuro, como es el caso comúnmente con tantas jóvenes. Mi cuerpo se tornó en un témpano de hielo mientras trataba de digerir la noticia. Como en tiempos pasados lo primero que llego a mi mente, fue querer culpar a Angie por el embarazo de Tatiana. Culpar a otros por situaciones que traían incertidumbre a mi vida era algo que siempre acostumbraba a hacer, más en esa ocasión no sé cómo lo hice, pero solo callé.

Unos días más tarde, una vez más siguiendo las sugerencias recibidas por mis padrinos en el grupo, me comuniqué con Tatiana y la invité a cenar. Durante la cena le dejé saber que ya me había enterado de su estado, y que por favor no se enojara con Angie por habérmelo dicho. "Tu mama solo hizo lo que pensó era propio, además no estoy enojado contigo". Esta era la primera vez que tenía una conversación seria con mi hija. En realidad, esta era tal vez una de las primeras, si no la primera conversación sería que tenía con cualquier ser humano.

Dado el caso de que ya no existía una relación entre ella y su novio, le dije: "La decisión de continuar con el embarazo es totalmente tuya, pero quiero sepas que si decides tener el niño o niña... yo estaré contigo durante todo tu embarazo y te ayudaré con todo lo que esté a mi alcance para que salgas adelante". sus ojos húmedos me dieron a entender que ella creía mis palabras... y me sentí un hombre dichoso. Ésta era prácticamente la primera vez que venía al rescate de mi hija en sus 16 años de vida.

De ese momento en adelante estuve acompañando a mi hija a sus citas médicas referentes a su embarazo. Durante esos viajes al médico, tuvimos la oportunidad de comenzar una relación padre e hija que nunca había existido en nosotros a consecuencia de mi incapacidad por el uso de drogas. Aunque no había podido superar por completo el hecho de que ella estuviese embarazada a tan temprana edad, el poder estar con ella en aquel momento de su vida, ayudaba a tranquilizar la ansiedad que contaminaba la mía a través de aquellos pensamientos negativos sobre mi hija. Luego aquel tiempo que compartimos durante las visitas al doctor, comenzó a abrir nuevas veredas en nuestra relación. El tiempo avanzó rápidamente, y para el primero de septiembre del 2002 me encontré en una callecita muy bonita en la ciudad de Lawrence Massachusetts insertando la llave en una cerradura, la cual al girar la perilla y abrir la puerta me dio entrada a lo que sería ahora mi propia casa. Después que entré y cerré la puerta detrás de mí, hubo un momento de silencio... era como si el tiempo se hubiese detenido. Fue algo similar a cuando era apenas un niño de seis años, y encontré a mi madre en la cocina donde la luz del sol no quería entrar, llorando inconsolablemente. Pero esta vez a diferencia de aquel día, aquella casa la sentía llena de luz...Y en esta ocasión la luz no venía de afuera... era como si la luz hubiese estado allí esperando por mi todo el tiempo.

(La adicción, cualquiera que sea, es conocida como una enfermedad emocional. Nosotros los adictos reaccionamos de manera muy distinta a la forma que normalmente reaccionan la mayoría de las personas, ya sea cuando tenemos experiencias positivas, o negativas. Nuestra incapacidad de lidiar con estas experiencias es lo que nos convierte en candidatos excelentes para convertirnos en adictos a una sustancia o comportamiento. Cuando tenemos experiencias donde nuestras emociones son muy altas o bajas dependiendo de la experiencia vivida, corremos el riesgo de una recaída. Por eso es tan importante el apadrinarse, y por esto es por lo que en los grupos enfatizan continuamente el estar muy consciente de cómo están nuestras emociones).

Después de los gastos de cierre relacionados a la compra de la casa, fue muy poco el efectivo que me quedó. Ahora tenía que ver cómo compraba las cosas para amueblar la casa. Mientras hablaba de esto con Susan la secretaría de la compañía T-Ford, ella me dijo que en unos días estaría llevando a cabo una venta de muebles y otras cosas, ya que se estaría mudando a una nueva residencia, y ella y su esposo habían decidido vender todo lo que tenían y adquirir cosas nuevas. "Pasa por nuestra casa el sábado y te daremos preferencia y buenos precios en lo que vendemos" me dijo ella.

El viernes de esa semana hablé con Jack, y explicando mi situación le pregunté si me dejaba usar un camión para el sábado llegar a la casa de Susan. Jack muy gentilmente me dio la autorización, y el próximo día me dirigí a la casa de la secretaria. Una vez allí, Susan me preguntó qué cosas me interesaban, y le contesté que por el momento solo necesitaba una cama, un mueble y tal vez algunos utensilios de cocina. Ella me dijo que tenía muchas cosas más para la venta, pero le dije que en realidad no tenía dinero para comprar mucho más. Susan me dijo que tenía que hablar algo con su esposo, y que mientras tanto escogiera la cama y el mueble que me interesaba. Después de unos minutos Susan regresó, esta vez acompañada de su esposo. "Hola Rubén, soy Phil, mi esposa me ha hablado mucho de ti", se presentó el esposo de Susan. Susan y yo habíamos platicado bastante durante el tiempo que llevaba empleado en la compañía, y sabía bastante de mi historial. Desde muy temprano en mi recuperación encontré gran liberación en dejarle saber a las personas que se cruzaban en mi camino parte del testimonio de como Dios me había rescatado de una vida de adicción. También siempre les dejaba saber a estas personas que no me molestaría si ellos compartían mi historia con otros.

Después de platicar unos minutos con Phil, Susan me dijo que ella y Phil habían decidido regalarme las cosas que necesitaba para la casa. Yo no sabía qué responder... y les dije: "¡No! Yo puedo pagarles por la cama y un mueble", pero ellos ya habían tomado la decisión. Unas horas más tarde me encontraba manejando el camión rumbo a mi casa. Susan y Phil me regalaron todo lo que uno puede necesitar para amueblar una casa de dos cuartos. Juego de sala, dos juegos de cuarto enteros, utensilios de cocina... en fin, Phil y Susan amueblaron mi casa sin yo tener que darles un centavo. Ese día mientras manejaba, volví a sentir unas cuantas lágrimas de agradecimiento humedecer mis mejillas. ¡Los astros que tomaban forma humana seguían confabulando a mi favor!

El día de acción de gracias del año 2002, invité a Angie, Glenda y mi hija Tatiana, a que vinieran a mi casa para cenar juntos ese día, ellas aceptaron la invitación lo cual me dio mucha alegría...

El día antes de la cena comencé a hacer los preparativos pertinentes, quería que todo estuviera perfecto para la ocasión... esta sería la primera vez en mi vida que prepararía una cena de acción de gracias, y ese día aprendí lo mucho que conlleva preparar una cena de aquella magnitud. Más la emoción de celebrar con estas tres mujeres que habían sufrido en carne propia durante mis años de adicción, me motivaba grandemente.

Aquel día mientras limpiaba la casa y seguía con los preparativos de la cena, noté que en las paredes de la casa no había cuadros. Seguidamente salí a comprar algunos cuadros, pero al llegar a la tienda me di cuenta de que el presupuesto no me alcanzaría para comprar cuadros ya enmarcados. Mientras caminaba por la tienda noté que tenían posters a muy buen precio y se me ocurrió comprar unos cuantos. Después fui a la ferretería donde compré unas tablitas de madera ornamental con los cuales prepararía marcos para los posters.

Después de varias horas preparando marcos, pegué los posters en ellos improvisadamente con cinta adhesiva y finalmente adorné las paredes con ellos... a eso de la una y media de la mañana, me tiré en la cama... Físicamente exhausto, pero a la vez muy emocionado por la cena que compartiría el próximo día con Angie, Tatiana y su hermana Glenda.

A eso de las tres de la mañana esa misma noche un ruido me despertó y en ese instante, noté que la luz del pasillo se enciendio. Instantáneamente mi cuerpo se tensó, y lo primero que llegó a mi mente fueron las palabras de mi hermana Elisabeth, el día que le di la noticia que había comprado casa en la ciudad de Lawrence. "Rubén, Lawrence es una ciudad de mucho crimen y mucho trasiego de drogas, ¿por qué no buscas casa en otro lado?", me dijo en aquella ocasión. Seguidamente pensé que alguien había entrado a la casa a robar. No había otra explicación pues el único en la casa era yo. Sin saber qué hacer, lo único que se me ocurrió fue comenzar a hablar en voz alta, y así presumir que alguien más se encontraba en la casa conmigo. "Mami" decía: "¿Dónde pusiste la pistola?" Esperando que con esto el intruso o intrusos reconsideraran el quedarse dentro de la casa. "La pistola", decía una y otra vez... "Dónde la pusiste". Luego permanecía callado por si escuchaba a alguien saliendo apresuradamente de allí, pero no se escuchaba nada.

No sé cuánto tiempo permanecí en la cama petrificado por el temor de ir a investigar. Aquel episodio, lo comparé más tarde a lo que le sucedió al personaje de la famosa película 'La Máscara' en la escena donde el protagonista Jim Carrey era perseguido por la policía, y luego de ser acorralado en un parque mientras trataba de huir, escuchó la orden de un oficial diciéndole que se congelara... ¡lo que hizo literalmente!

Cuando pude llenarme de suficiente valor me levanté de la cama para investigar. Poco a poco fui bajando las escaleras con un frasco de colonia de hombre, que fue lo único que encontré sobre el mueble que Susan y Phil recientemente me habían regalado, para usarlo en mi defensa si era necesario. Mientras descendía las escaleras, podía imaginarme los rincones donde uno o más intrusos podían estar escondidos.

Cuando iba a mitad de las escaleras, agachándome pude notar que la puerta trasera que daba entrada a la cocina estaba en perfectas condiciones y asumí que el punto de entrada tuvo que haber sido la puerta del frente. Mientras caminaba por la casa iba abriendo puertas esperando que, de un momento a otro, detrás de una de ellas me toparía con la persona que entró a la casa ilegalmente. Mi corazón palpitaba de manera incontrolable, y por haber sido ladrón durante tantos años de mi vida pasada, trataba de imaginar en qué sitio podía estar escondida la persona que entro a la casa.

Llegando a la sala, pude ver que la puerta del frente tampoco tenía daños visibles. "¿Cómo es posible?" Me pregunté. Seguramente no aseguré bien una de las puertas antes acostarme, y así fue como entraron, me decía mientras sudaba profusamente por el temor de encontrarme con algún intruso, y que algo grave ocurriera en el proceso. Brevemente llegó a mi memoria aquella noche cuando muchos años antes, fui yo el que ilegalmente entró en una residencia en la cual había una persona durmiendo.

Convencido que no había nadie en el primer piso, asumí que de haber alguien más en la casa, seguramente se habían trasladado al sótano. Con el frasco de colonia casi deslizándose de mis manos por el sudor que de ella emanaba, procedí a bajar las escaleras rumbo al sótano. Uno por uno baje los escalones hasta llegar al último para darme cuenta de que nadie se encontraba allí.

Respirando profundamente en forma de alivio y con la garganta seca por todo aquel drama regrese a la cocina. Mientras pase cerca de la puerta principal note que en realidad no la había dejado sin seguro. Al llegar a la cocina noté lo mismo de la puerta trasera... entonces volvió a cundir el pánico. De niño mi madre me decía: "Los cristianos no creemos en patrañas de sitios poseídos por espíritus". En esta ocasión no estaba muy seguro de eso pues no tenía respuesta a como aquella luz se había encendido aquella mañana. Con mil pensamientos dando vueltas en la cabeza tratando de racionalizar aquel evento, finalmente solté el frasco de colonia y puse agua en un vaso para calmar la sed en mi garganta.

Dando la espalda al fregadero fui llevando el vaso a mis labios, los cuales esperaban el líquido deseosamente... Cerré los ojos para disfrutar como bajaba el agua por la árida garganta, cuando los abrí... allí estaba... mirando la pared frente a mí se resolvió el misterio de cómo se encendió la luz que casi me causa un infarto.

Sucedió que la cinta adhesiva de uno de los cuadros que había colgado el día anterior se había aflojado con el calor dejando que el poster se despegara del marco, y deslizándose golpeara el botón de la luz encendiéndolo... El próximo día después de celebrar el día de acción de gracias con Angie, Tatiana y Glenda, le conté el episodio de la noche anterior y cerramos el día con unas buenas carcajadas.

CAPITULO 16
OTRA CRISÁLIDA DAÑADA

TERMINANDO EL MES de noviembre del año 2002 recogí a Tatiana, para como era ya costumbre para llevarla a su doctor para su chequeo de ultrasonido. Después que el doctor la vio, nos informó que tenía algo importante que consultar con nosotros y nos dirigió a un pequeño cuarto que usaba como oficina. Una vez allí, el médico nos informó que hacía bastante tiempo él venía notando algo anormal en el embarazo, pero que estaba esperando a ver si las cosas cambiaban. El doctor nos dijo: "Lamentablemente, hace mucho que no detectamos actividad cerebral en el feto, y la masa encefálica se refleja solo como líquido. Seguramente esto ha sido provocado por una bacteria la cual pensé para este tiempo en la gestación no estuviera activa. No quería apresurarme con el diagnóstico anteriormente, pero ya tengo que informarles la condición del feto. Por experiencias previas, lo más seguro es que el feto no crecerá más en los próximos dos meses, y seguramente nacerá con un alto grado de retardación cerebral, lo siento mucho". Habiendo terminado sus palabras, salió del cuarto.

En ese momento me encontré con los ojos de mi hija, y por primera vez desde que tenía seis años, cuando encontré a mi madre llorando en la cocina... pude sentir el dolor de otro ser humano a través de sus ojos. Tatiana estaba en shock... Sus ojos explotaron dejando caer una cascada de lágrimas amargas que corrían por sus mejillas como el torrente de un río sin rumbo. Me abalancé a ella pensando que desmayaría y la tomé en mis brazos... los quejidos que despedía su corazón retumbaban en mis oídos como las olas de un mar bravío azotando mi propia existencia... su dolor lleno cada espacio del universo. Su tristeza absorbió la luz de aquel espacio, igual al día en que mi madre lloró la muerte del presidente. Después de un largo rato salimos del hospital todavía abrumados por la noticia. Aquel se había tornado en uno de los días más tristes de nuestras vidas.

Estos eran los momentos que los compañeros AA y NA, me habían dicho que tarde o temprano llegarían. En momentos como éste, tendría que aplicar las sugerencias que ellos me habían dado, para no dejar que las emociones tomaran control y así pudiera tomar decisiones sabias... Mientras manejaba, miraba a Tatiana... y podía notar sus ojos perdidos en el horizonte. "Dios, ¿qué puedo hacer? Señor, ayúdame a consolar mi niña", pensaba dentro de mí. En ese instante me llegó a la mente mi hermano Ángel. Ángelo, como le llamamos cariñosamente, hacía unos años se había recuperado de una vida de alcoholismo, y había regresado a los caminos de la Fe. Lo único que se me ocurrió en ese momento, fue llamarlo, y decirle que tenía una situación muy difícil, y que necesitaba verlo inmediatamente.

Una vez llegamos al departamento de mi hermano, le expliqué a Ángel lo que el doctor nos había dicho, y le pedí que hiciera una oración por la barriga de Tatiana. Ángel se levantó de su asiento y pidió a Tatiana que se parara frente a él... Entonces poniendo sus manos en la barriga de mi niña comenzó a suplicar Dios por el bienestar de ella, y la del pequeño ser que tenía en sus entrañas. Sin darme cuenta extendí mis manos, y poniéndolas sobre la barriga de mi hija, allí encontré las manos de Ángel y las de Tatiana empapadas de lágrimas. La oración fue profunda e intensa. Era una oración que mi hermano había hecho muchas veces, ya que su hijo menor Abel había nacido con un alto grado de retardación mental, y esto era una cruz que hacía mucho venía cargando. Cuando Ángelo terminó de orar, nos quedamos allí los tres envueltos en un sublime abrazo... y a la vez abrazados por una calma celestial.

La barriga de Tatiana era como una crisálida en la cual, según los doctores se encontraba una mariposa anormal... una mariposa que no volaría... una mariposa de un ala.

Esa noche cuando puse la cabeza en la almohada, cerrando los ojos, solo podía pensar en el dolor que podía estar sintiendo mi hija... Me la imaginaba en su cama sollozando, acariciando su barriga hasta quedarse dormida en un mar de lágrimas. Aun en la distancia podía sentir su tristeza.

De aquel día en adelante las visitas al doctor fueron más frecuentes. Para la visita del octavo mes, el doctor quedó asombrado por lo mucho que el feto había crecido ya que en la mayor parte de los casos que había visto era muy improbable que esto ocurriera, pero mientras nos daba la noticia, nos pidió no nos emocionáramos demasiado, puesto que todavía no se detectaba actividad cerebral alguna en la criatura. Un mes después, el 30 de enero del año 2003, otra de las mariposas que había dejado libre de niño regresaba a mí en la forma de un hermoso varón. Aquella noche, junto a Angie en el cuarto de maternidad acompañando a nuestra hija, tuve el privilegio de recibir en mis brazos, a mi nieto Jonathan Jordan Montes... Y aunque el doctor se encargó de decirnos que ahora tendríamos que esperar aproximadamente un año para ver cómo se iba a desarrollar el niño, aquellas palabras no fueron suficientes para opacar la alegría que emanaba de los rostros de Tatiana, Angie y su servidor, quien les relata la historia. Tatiana había dado a luz... y el cuarto de maternidad se llenó de ella con aquella hermosa criatura que Dios nos acababa de prestar.

Unos días más tarde, sin embargo, las palabras del doctor retumbaban en mi mente... "¿Cómo es posible?" Preguntaba a Dios. "¡Ahora tengo que esperar un año para ver si el niño estará sano!" El fantasma del mal agradecimiento roía mi existencia. En vez de seguir dando gracias por la bendición de mi nieto y mi sobriedad, cuestionaba a Dios por el diagnóstico del doctor.

Un año después, pude ver a Jordan dando sus primeros pasos, diciendo sus primeras palabras y convertirse en un niño normal por lo menos para su edad. Todavía tendríamos que seguir esperando a ver cómo seguía desarrollándose según pasaran los años. Afirmando mis raíces en el programa, tuve la oportunidad de seguir ayudando a mi hija con cualquier cosa que pudiera. ¡Nuestra relación continuó prosperando!

Estas son las situaciones, que como adictos en recuperación debemos aprender a manejar. Pero que no las debemos tratar de manejar solos. En ocasiones como éstas donde la fe del adicto se desvanece, es cuando la red de apoyo de nuestros hermanos en AA y NA tiene la oportunidad de hacer su trabajo en el adicto. Por supuesto, éstos son los momentos que vendrán a nuestras vidas donde tenemos que practicar la humildad, en esos momentos cuando nos sentimos traicionados por la vida, tenemos que dejarle saber a nuestros padrinos lo que en realidad está sucediendo. Ellos en cambio con la sabiduría adquirida por sus años en el programa nos ayudarán a encontrar solvencia a la situación. Así es como el programa funciona. La idea es que, en vez de aislarnos y crear nuestras propias soluciones, salgamos de nuestras cavernas, donde esperan nuestros padrinos para enseñarnos el camino a seguir. Un buen padrino, podrá notar que nos estamos aislando y entrará a la caverna con nosotros para darnos el aliento que tanto necesitamos en esos momentos de angustia.

No quiero con esto decir que las controversias en la vida serán erradicadas mágicamente, pero está comprobado por muchos millones de personas en recuperación, que solos no lo podemos hacer. Tenemos que practicar el compartir con otros, no solo nuestras alegrías, sino también el dolor que nos causan estas situaciones inciertas.

Cuando entramos en el proceso de recuperación, la mayor parte de nosotros equivocadamente pensamos que todo va a hacer color de rosa. Creemos que por el hecho de no estar usando y causando daño a los niveles que hacíamos antes, que todo será una utopía de ahí en adelante. Por esta razón muchos reincidimos y buscamos solvencia una vez más en las substancias, o en las actividades que calmaban nuestras ansiedades cuando nos encontrábamos en situaciones que no sabíamos manejar. Así una vez más caemos al precipicio del cual hemos salido, y naufragamos una vez más en el mar de la adicción. Por esta razón es de suma importancia tener un padrino o patrocinador, como se les conoce en algunos círculos. De todas maneras, es inminente que el adicto se apadrine, preferiblemente con otra persona que esté trabajando los doce pasos de recuperación, y que a través de ellos haya alcanzado varios años de sobriedad continua. Es también sugerido, que los varones se apadrinen con varones, y que las hembras hagan lo propio con otras hembras. Es sugerido que los familiares del adicto busquen grupos de apoyo, como ALANON, para aprender a manejar todo el caos que nosotros hemos traído a sus vidas. Recordando y enfatizando que no será fácil, pero que de otra manera las probabilidades de encontrar un camino a seguir serán como mucho nulas. No quiero decir con esto, que el único camino a la recuperación son los programas de 12 pasos. En este caminar he conocido algunos que han encontrado su liberación en templos religiosos o cualquier otra entidad, pero si quiero enfatizar, que es uno de los medios más eficientes por el cual se puede adquirir la recuperación, no importando la adicción que sea.

CAPITULO 17
EL PANTANAL

MI VIDA EN adicción la comparo con un pantano lleno de sanguijuelas. Mientras seguía caminando en él, y hundiéndome más y más, las sanguijuelas se iban anclando a mi cuerpo y mi mente. Mientras más tiempo permanecía en el pantanal, más de estas sanguijuelas se sumaban y debilitaban mi existir. En muchas ocasiones después que salía de estar preso, o salía de un centro de desintoxicación, pensaba que el problema se había resuelto, sin darme cuenta de que el problema no era solo mi adicción física. El tiempo que pasé en el pantanal había debilitado no solo mi físico, mi mente y más importante mi espíritu, que de por sí ya venían deforme desde mucho tiempo antes de entrar en él.

No fue hasta que abrí mi mente al concepto que la adicción es trifásica, o sea que es física, mental y espiritual, que pude entender la necesidad de someterme de manera más seria a los doce pasos y trabajar esas áreas de mi vida.

Las sanguijuelas antes mencionadas, son una manera analógica de representar los defectos de carácter que plagaban, y que aún continúan manifestándose en algunas áreas de mi vida. Con esto quiero dejar entredicho, que el camino de la recuperación es para toda la vida.

Cada sanguijuela representa algún defecto de carácter, como lo son la envidia, la lujuria, el egoísmo, la pereza, el procrastinar y un sin número de ellos que, por la mayor parte de mi vida, ni siquiera sabía existían en mí.

Mientras estuve en el pantanal, los defectos con los que entré a él se magnificaron, y fui adquiriendo otros nuevos. Cuando llegué al programa de AA y NA, y mientras paso a paso iba lentamente saliendo de aquella vida cenagosa, comencé a reconocer algunos de mis defectos y como influían de forma tóxica mi diario vivir, aunque ya no me encontraba usando drogas. Algunos otros defectos que como sanguijuelas pegadas en mi espalda se me hacían imposibles notar, podían ser identificados por mis padrinos, los cuales a través de sugerencias me fueron, y me siguen guiando aun en estos días cuando me encuentro celebrando 21 años libre de drogas, y escribiendo esta historia... pues como mencioné anteriormente, ¡el proceso de recuperación es para toda la vida! Si es que así lo queremos.

Decir que el camino de la recuperación es fácil, sería enviar el mensaje equivocado. Los retos que encontraremos en el camino nos tentarán y nos harán pensar que sería mejor tirarlo todo y regresar a nuestra vida antigua. Adaptarse a vivir una vida sin aquella substancia, o actividad que nos gratificaba instantáneamente, es en ocasiones como querer insertar un camello por el ojo de una aguja. Por eso es de suma importancia mantenernos conectados con el programa, y con personas que están en recuperación. Esto tenemos que hacerlo 24/7 si es que queremos que el programa sea efectivo.

Durante mi recuperación he tenido la oportunidad de compartir mi testimonio con muchas personas. También he tenido el honor de recibir los testimonios de otros que, como yo, vivieron sus propios infiernos. Testimonios como el de una mujer de 50 años, quien, en medio de un mar de lágrimas, me contaba cómo sus padres la dejaron al cuidado de su abuela alcohólica a la tierna edad de 7 años, y como por los próximos 8 años de su vida su abuela permitía que viejos sucios entraran a su cuarto a tocar sus partes privadas a cambio de una botella de licor, fragmentando día tras día el espíritu de aquella niña, para ella saciar su enfermedad... O el testimonio de un hombre de 70 años, quien también en un río de llanto detallaba cómo cuando niño, su padre alcohólico, en muchas ocasiones llegó al hogar borracho, y al no poder convencer a su esposa de tener relaciones íntimas, la tomaba por el brazo y arrastrándolo por las escaleras lo llevaba al ático de la casa para violarlo, mientras decía que si no podía tener relaciones con su mujer... que de alguna manera alguien tenía que satisfacerlo sexualmente... Aun después de muchos años de haber escuchado testimonios como éstos, puedo sentir mi corazón entumecerse de solo pensar el horror que tuvieron que superar aquellos seres humanos.

No todos los que caímos en un camino de adicción tuvimos experiencias tan catastróficas. En muchas ocasiones el maltrato que experimentamos en cualquier etapa de nuestras vidas pudo haber sido menor cuando lo comparamos con las experiencias de otros. La realidad del caso es que no se trata de cuan grave haya sido el maltrato, sino de nuestra incapacidad para lidiar con él. Cualquiera que haya sido el maltrato pudo haber sido suficiente para cortar profundamente, y así deformar nuestro carácter, haciéndonos candidatos perfectos para sucumbir a una vida de adicción más tarde en nuestras vidas. El maltrato; sea emocional, verbal, físico o de cualquier otro tipo, puede ser suficiente para marcarnos de por vida y por ende hacernos más propicios a convertirnos en adictos, ya sea a una substancia, o a algún estilo de vida que nos mantendrá encadenados y prácticamente en una vida sin rumbo fijo. Los programas de 12 pasos, enfatizo nuevamente, están diseñados para tratar estas laceraciones que muchos llevamos muy profundo en nuestras almas, y que, en muchas ocasiones, sin darnos cuenta, son las causantes del caos que se manifiesta en nuestras vidas, y así liberarnos del encadenamiento de la adicción, como fue el caso de los dos seres cuyos testimonios mencioné anteriormente. Así como ellos hay en todo el mundo, millones de hombres y mujeres que han encontrado solvencia a su situación en el programa de AA y NA, para luego poder vivir vidas productivas, y después con sus testimonios, y tratando de practicar los 12 pasos, ayudar otros adictos a encontrar un poco de lucidez en el camino. El intercambio de testimonios es imprescindible, si es que queremos lograr algún grado de sobriedad. Esto no es nada nuevo, la confesión es una herramienta que se ha venido usando por milenios para tratar los asuntos que perturban nuestras vidas en un nivel o otro.

En lo personal, considero que solo a través del programa, fue que encontré la manera de vivir una vida con propósito. Mi recuperación no es perfecta... y les puedo asegurar por lo que he visto en estos 21 años, que nunca lo será. Esto no se trata de hacernos perfectos, pero sí de seguir buscando la perfección. Para seguir alcanzando metas, tendremos que cometer errores, en ocasiones caernos para luego levantarnos con más sabiduría y seguir el camino. En el programa aprendemos a vivir la vida en sus términos, sin tener que recurrir a alguna substancia o comportamiento para escapar de ella.

Durante mi jornada, he tenido que lidiar con diferentes episodios que han puesto en duda mi fe. Algunos de ellos los describí anteriormente, Pero también he tenido que lidiar con desencantos, divorcio, enfermedades, corresponder sin ser correspondido, problemas familiares, problemas en el trabajo... En fin, he tenido que trabajar con las situaciones que normalmente todo ser humano, si no lo ha tenido que hacer todavía, las tendrá que enfrentar en la vida en un momento u otro. Hoy doy gracias a Dios y a mis Padrinos por su ayuda, porque en ninguna de las situaciones que he confrontado, no importando cual haya sido el resultado final, haya tenido que recurrir a drogarme para lidiar con ellas.

En mi caminar nunca pierdo una oportunidad de compartir parte de mi testimonio con cualquier persona que cruce por mi vida. La reacción que he recibido por el 99.99% de ellas ha sido muy confortadora, y estimulante para seguir este camino. En una ocasión una de estas personas me preguntó si no sentía tristeza por todo el tiempo que había perdido en la vida por el uso de drogas. Nunca me habían preguntado eso, y aunque fui de ese mismo pensar por mucho tiempo, en esa ocasión, y sin titubear le respondí con un rotundo, "¡no! Soy quien soy en la vida por lo que fui en el pasado... de no haber sido así hoy no tendría la experiencia vivida para llevar el mensaje de "Amor, Fe y Esperanza" a los que todavía sufren en un mundo de adicción, y que tanto se necesita esparcir, especialmente en estos tiempos que vivimos."

Hace unos años atrás mientras me dirigía a trabajar, me encontré meditando una vez más en aquel momento de 1976 cuando bajo la sobredosis de LSD aquellos hombres me administraron la dosis de heroína... también en cómo pudo ser que después de 23 años de adicción, varias sobredosis y todas las veces que mi vida se vio en peligro de una manera u otra, podía encontrarme, no solo vivo, pero tan saludable y con tantos deseos de vivir... No sé si fue audible... pero en ese instante oí que alguien me dijo: "Mientras te entretejía en el vientre de tu madre, no solo soplé mi espíritu en ti una vez, sino dos veces pues sabía que necesitarías una doble porción para sobrevivir el pantanal, y poder ahora llevar las buenas nuevas a aquellos que aun sufren". Esa mañana, fue reafirmado que no me pesaba el tiempo que perdí en la vida, porque después de todo, no era tiempo perdido, en realidad aquel tiempo no fue mío... ¡En los planes de Dios no hay tiempo perdido! ¡Porque todo a su tiempo será para su gloria!

CAPITULO 18
EL ALA INVISIBLE

LA MAYOR PARTE la vida, viví como una oruga, que más tarde se convirtió en una mariposa de un ala. En ninguno de los dos casos, ni como oruga o como mariposa con un ala, era mucho lo que podía avanzar. Primero fueron los defectos de carácter, que más tarde mezclados con las drogas me mantuvieron paralizado.

Mientras seguí dándome la oportunidad de dejarme influenciar por aquellos que Dios ponía en mi vida, empecé a verlos como las mariposas que crie, y dejé ir en mi niñez que regresaban, aquellas que se llevaban cada una un pedacito de mi alma, hoy regresaban para después de haber volado por el mundo y al haber adquirido sabiduría regresaban para ayudarme a sanar.

Según estos seres llegaban a mi vida fui notando, que no era que no tuviese dos alas... Mas bien era que no tenía la capacidad de ver el ala que creía me faltaba. Una a una llegaban esas bellas mariposas... y revoloteando sus alas llenas de amor, sutilmente rosaban sus alas con aquella mi ala invisible. Poco a poco los colores de sus alas fueron tiñendo la mía. Y así comencé a notar que sí tenía dos alas. No todas estas mariposas vinieron para quedarse, algunas fueron pasajeras, otras se han quedado a mi lado, pero si todas vinieron para enseñarme a volar.

Mariposas como mi hija Tatiana... a quien Dios permitió aceptarme en su vida, aun después de permanecer tanto tiempo lejos de ella, y negarle la presencia de un padre en su niñez. Y aunque en nuestro volar juntos hemos confrontado tiempos de turbulencia, ella me ha dejado saborear el dulce néctar que solo una hija puede brindar a un padre. Néctar que ha nutrido mi alma y saciado la sed que por tanto tiempo padecí por no saber cómo amarla. Su dulzura sobrepasa, y cancela cualquier desacuerdo que podamos tener. Ella se ha convertido en una de mis más grandes confidentes y consejera.

Ella también ha sido el instrumento para que yo hoy pueda llevar el título de abuelo, a través de su hijo Jordan, otra de mis preciadas mariposas y quien en estos días estará arribando a sus 17 años, y quien es, al contrario de lo que diagnosticaron los doctores un joven común y corriente quien hoy cursa su onceavo año escolar. Con el tuve la oportunidad de ver la vida a través de los ojos de un niño nuevamente. Con él aprendí a dejar que el niño tímido que había escondido dentro de mí volviera a salir y jugar como lo hacía en mi niñez. Con el he aprendido grandes lecciones... Lecciones como esta...

CAPITULO 19
LECCIONES DE MI NIETO
TÍTULO: "FOR THE OFEIN IN CHUCH"

EN UNA FRÍA tarde de invierno, me encontraba en el sótano de mi casa con mi nieto Jordan. Era sábado y decidí lavar la ropa. Mientras seleccionaba la ropa de acuerdo a sus colores, Jordan que para esos días contaba con alrededor de cuatro años, se entretenía buscando entre las cosas y herramientas que allí estaban. Mientras él jugaba pensé en lo dichoso que era tenerlo conmigo. Se me hacía difícil creer que un hombre como yo, que no podía cuidarse a sí mismo sólo unos años antes, estaba aquí a cargo de este niño. Eché parte de la ropa a lavar, y giré a mirarlo, en ese momento se ponía un capacete de construcción en su pequeña cabeza y trataba de agarrar un martillo. Cuando se doblaba para coger el martillo el capacete se le caía, Pronto resolvió el problema, se puso el capacete y mientras lo aguantaba con una mano, se dobló y pudo agarrar lo que imaginaba era para él un pesado martillo. Mientras él jugaba a ser carpintero, mi mente se remontó a una etapa de mi vida, de la cual pensé nunca saldría. Eran los años mil novecientos ochenta y ocho u ochenta y nueve. Yo me encontraba una vez más vagando por las calles del pueblo de Cambridge Massachusetts. Una vez más adicto a la heroína y cocaína, buscaba como un loco alguna manera de obtener dinero para calmar mi enfermedad... Esto no era de ahora, ya venía lidiando con esta adicción desde el mil novecientos setenta y seis. Un ruido me trajo de nuevo a mi sótano, era el sonar del capacete que daba en el piso, era Jordan, ya no le interesaba ser carpintero. En esta ocasión tenía en su mano una llave para soltar tuercas, y buscaba algo que tuviera una para soltarla, ahora era mecánico. Yo lo miraba y sentía mi corazón lleno de emoción hinchándose en mi pecho. Trataba de imaginar lo que él estaba pensando.

Una vez más pensé lo increíble que era que hoy estuviera donde estaba, en mi propia casa y con este hermoso niño. Mi mente volvió a vagar, llegué a el año 1976. En aquel año fue que comenzó mi envolvimiento con la heroína. Antes de eso yo usaba drogas menos peligrosas, mayormente marihuana y alcohol. Pero después empecé a experimentar con otras drogas más fuertes, El ácido que le llamaban una droga psicodélica, y otras. En el verano de 1976 me encontraba con unos compañeros que también consumían, y tomé una fuerte dosis de LSD, cuando la droga comenzó a tener efecto en mí, comencé a entrar en lo que en la calle le llaman un mal viaje. Solo hacía 20 minutos que la droga estaba haciendo efecto en mi cuando empecé a perder mis sentidos. Perdí la visión, mi voz, no podía oír, y al poco tiempo entré en un estado comatoso. Y como si esto fuera poco, el efecto de aquella droga estaría en mi por lo menos de 10 a 13 horas más. Las probabilidades de salir del viaje era muy pocas. Las personas que estaban conmigo, al verme en aquel estado se preocupaban por mi situación. Según me contaron ellos después, al no saber qué hacer, me llevaron de la mano a un lugar donde ellos tenían guardados aparatos para usar heroína y también tenían heroína. Lo único que se les ocurrió fue inyectarme una dosis de heroína para ver si me podían traer del viaje. Otro ruido me regresó al sótano con Jordan, y allí estaba tratando de poner una linterna en su bolsillo de atrás, y actuaba como si fuera el celador de un museo en una película que hacía poco habíamos visto juntos. Una y otra vez se lo ponía en el bolsillo, y cuando trataba de caminar se le caía. Para este entonces mi corazón ya no me cabía en el pecho. Era una sensación que ninguna droga jamás me había hecho sentir. Me sentía arrebatado solo con mirarlo. Mientras él continuaba siendo el celador de mi sótano, regresé al momento cuando desperté del viaje. Efectivamente el experimento que ellos hicieron funcionó. La heroína pudo contrarrestar el LSD, y de nuevo pude ver, oír y hablar. La sensación que sentí con aquella otra droga fue tal, que me atrapó en sus garras por los próximos

23 años. Mi vida se convirtió en un infierno, hacía lo que fuese por tratar de mantenerme bajo los efectos de aquella droga. Pasé el resto de los años 70 consumiendo y envuelto en toda clase de actividad criminal. Para el año 79 ingresé en las fuerzas armadas de los Estados Unidos, huyendo de la justicia que me buscaban por posesión y distribución de narcóticos. Para el año 1980 conocí la cocaína, esta droga mezclada con la heroína fue la que me tiró de rodillas en un desierto de miseria. Hoy me encontraba en mi sótano, pero hubo momentos cuando me encontraba en el sótano de una casa abandonada después de estar cinco días sin dormir alucinando por la euforia de la última dosis de cocaína que me había administrado. Era un sitio deplorable donde muchos como yo iban a consumir. En mi locura empezaba a buscar en los huecos y las grietas de los cimientos de aquella casa abandonada, un paquete de droga que solo existía en mi imaginación. Cuando recobraba el sentido y me daba cuenta de que lo que buscaba no existía era cuando me marchaba de allí... mis ropas sucias y con la vida hecha pedazos.

Regresando de aquellas remembranzas volví a mi sótano y a mi celador... Jordan. Saqué la ropa de la lavadora y la puse a secar. Empecé a echar otra tanda a lavar que consistía en mis pantalones de trabajo. Mientras los movía para echarlos a la lavadora, empezaron a salir monedas de los bolsillos. Jordan oyendo el ruido de las monedas cuando caían, dejó de hacer lo que estaba haciendo y se dedicó a recogerlas y prontamente empezó a ponerlas en su bolsillo. Yo lo observaba mientras una por una las iba guardando. De pronto murmuró algo que me dejó algo confundido, para este tiempo él hablaba como el cazador que perseguía a Bugs Bunny en las caricaturas animadas. Creí haber entendido lo que dijo, pero quería estar seguro. Le pregunté qué había dicho, y con su dialecto de Elmer Fudd (Para los que saben de quien hablo), me dijo: "This is fo the ofein in chuch tomouo"; traducción: "Esto es para la ofrenda de la iglesia mañana", sentía que mi corazón explotaba de alegría; esto era increíble. Nunca pensé que Jordan estaba sintonizado con lo que sucedía a su alrededor en la iglesia. Después de todo siempre que íbamos a la iglesia él tenía consigo algún juguete con el que se entretenía la mayor parte del servicio. Me quedé anonadado con aquella revelación. Desde entonces he sido muy cauteloso de lo que digo y hago cuando Jordan está presente. Muchos de nosotros los padres tomamos por desapercibidos a los niños, y no pensamos en el daño que les podemos causar con nuestras palabras y acciones, pensando que ellos son muy pequeños y no se dan cuenta. Los primeros años de un niño son los más importantes en la formación de su carácter... Tengamos mucho cuidado cómo hablamos y nos comportamos frente a los pequeños. Hasta este día mi nieto y yo tratamos de llegar a la iglesia todos los Domingos, y me aseguro de que él tenga su dinero, "FOR THE OFEIN IN CHUCH", "PARA LA OFRENDA EN LA IGLESIA".

Dios también permitió que Angie la madre de mi hija, abriera su corazón permitiéndome un espacio en él. Como una gran mariposa me recibió en sus alas, aun cuando el sufrimiento que causé en su vida y la de toda su familia fue monumental. Se que el infierno que le presenté a través de mi adicción dejó profundas y dolorosas huellas, especialmente en aquella siniestra noche en 1989 cuando como un loco entre al cuarto de su hija. Aun así, encontró en su corazón darme un perdón no merecido. Ella es sin duda alguna, una de las piedras angulares de mi recuperación. Por siempre estaré agradecido de su compasión hacia mí. Hoy nuestra amistad prevalece, y trato de hacer todo lo que este a mi alcance por seguir reforzando nuestros lazos de hermandad. Gracias Angie por ayudarme en este proceso, no habrá un día de mi vida en que no esté agradecido por haberme dejado entrar a tu vida... siempre estaré aquí para ti... Dios mediante.

Fueron muchas las veces durante mi vida que escuché algún fulano predicar acerca de lo misericordioso que puede ser Dios. Muchos de nosotros los adictos tenemos grandes problemas con la Fe. Yo no fui la excepción. Dado el caso de que siempre fui un hombre incapaz de perdonar, pensaba que eso del perdón eran fábulas que los predicadores se inventaban para mantener a los feligreses en los templos, amedrentándolos con que si no perdonaban como fueron perdonados terminarían en el infierno.

Esto fue hasta aquella noche del año 2000, cuando Glenda, abrazándome como la más suave de las mariposas, depositó aquellas palabras en mí: "Esta bien, Rubén, todo va a estar bien", En aquel momento no tenía la menor idea de lo que había acontecido allí, aunque podía ver cómo las cosas habían cambiado sustancialmente, ya que unos años después de su boda, Glenda me sorprendió con la noticia de que ella y su esposo Chris, habían decidido preguntarme si yo aceptaba ser el padrino de su hijo Benjamín que acababa de nacer. "Diosssss... síííííí," les dije, mientras todavía no entendía claramente su confianza en mí. Un año y medio después me encontraba bautizando a mi hoy hermosa ahijada Sophia, pues ellos me pidieron también la bautizara. Muchos años han pasado desde estos acontecimientos, y durante todo este tiempo mi relación con Glenda ha seguido madurando. Pero algo especial sucedió en este año de 2019 mientras escribia esta historia, o sea 20 años desde la noche de aquel abrazo de Glenda hacia mí. Hace unos meses llegué a casa de Glenda con el propósito de darle un regalo de cumpleaños a mi ahijado Benjamín. Después de entregarle su regalo, me senté con mi ahora comadre a platicar. En medio de la conversación, algo se apoderó de mí... Me di cuenta de que nunca le había pedido perdón formalmente a ella. Cuando tuve la oportunidad le dije: "Glenda, yo vine aquí hoy para traer el regalo de Benjamín, pero en este momento quiero decirte algo que he guardado en mi corazón por muchos años". Con labios temblorosos dije: "Quiero pedirte perdón por lo que te hice aquella noche en 1989, no sabes cuanta angustia he sentido durante todos estos años". No había yo bien terminado de hablar, cuando Glenda con lágrimas en sus ojos, dijo: "¡Oh! Ruby, tengo que decirte algo, aquella noche mientras nos dirigíamos a la casa a ver a abuelita, yo solo pensaba cómo iba a reaccionar cuando te viera". Y prosiguió: "El odio que sentía por ti era muy profundo. Aun cuando llegamos, y mi mamá estacionaba el vehículo frente a la casa, todavía sentía aquel odio por ti dentro de mí. Mientras subíamos las escaleras todavía no sabía cómo iba a reaccionar cuando te viera. Cuando llegué al último escalón, algo sucedió en mí, y decidí en aquel momento que cuando te viera, te perdonaría".

Mientras ella relataba esto, tuve una visión. En el momento que ella pisaba el último escalón, en la visión, vi la figura de Jesús entrando en su cuerpo. De ahí en adelante vi como después de saludar a mi hija y a Angie... cuando Glenda me abrazaba, vi al Maestro que me abrazaba y decía: "Está bien, Rubén... todo va a estar bien".

Cuando le dije sobre la visión a Glenda, nos entrelazamos en un sublime abrazo mientras nuestras lágrimas se mezclaban, un abrazo, el cual todavía puedo sentir...

Glenda Lee Baca... te amo. Y el juramento que les hice en aquel día de acción de gracias en mi casa de nunca abandonarte a ti, a Angie y a Tatiana todavía está vigente. Eres una de mis más amadas mariposas.

Matilde Matos, María Matos, Ángel Matos, Antonio Matos, Elizabeth Matos y Moisés Matos... Gracias por su hermandad. Estoy seguro de que el linaje que heredaron de nuestra madre los ayudó a lidiar conmigo durante muchos años, y ha sido instrumento para su acogida hacia mí de vuelta al seno familiar... Son ustedes seis mariposas.

Carmen Matos. Mi hermana mayor. Se que al igual que mi madre fueron muchas las lágrimas que vertiste mientras orabas por mi restauración. Dios te escuchó, así como a los tantos que por mucho tiempo oraron por mí... ¡Dios te bendiga Mariposa Monarca!

Moisés Alicea. Me inspiraste de una manera que todavía 21 años después, siempre que tengo la oportunidad manifiesto la influencia que tu testimonio y tu amistad sigue teniendo en mí. ¡Eres otra mariposa!

Frank Campos. En tus manos has sabido recibir mis lágrimas en los momentos cuando más te he necesitado... No encuentro palabras para decirte lo que significas en mi vida. Solo Dios sabe cuánto te necesitaba cuando te puso en mi camino. Eres, y siempre serás una de mis más preciadas mariposas.

A Tom Ford y Jack, gracias por haberme dado la oportunidad de trabajar en su compañía. Gracias por confiar en mí, definitivamente ustedes son piezas importantes en mi recuperación.

Gracias Zoila Marisol Gomez, fuiste una de las primeras que inculcó a que escribiera mi historia.

La lista de todos los que han puesto colores en lo que era mi ala invisible es larga... enumerarlos sería imposible. Aun aquellos que se han cruzado y por una u otra razón me han dado lecciones a través del dolor, hoy también los veo como mariposas, pues sin ustedes no podría estar donde estoy hoy, porque aún las piedras de tropiezo, Dios en su tiempo las torna en piedras angulares.

CAPITULO 20
MARIPOSA MILAGROSA

EL TIEMPO DE Dios es perfecto. Aunque se me a hecho difícil integrar este concepto en mi vida, Dios ha seguido moviendo su mano para dejarme saber que es así.

Nunca tuve intención de escribir un libro, aunque en muchas ocasiones después de alguna charla que diera, alguien de los presentes me abordara con la idea de que si debía hacerlo. En esos momentos mi respuesta siempre fue la misma, y los despachaba con un: "Sí, sí... tal vez en alguna ocasión". Pero en realidad dentro de mí, no me sentía capacitado para ello. Esto fue hasta hace un año atrás cuando Dios volvió a hablarme mientras me encontraba a cargo de un proyecto de construcción para la compañía donde trabajo.

En una mañana de abril 2018, tuve una reunión con dos hombres que venían de otra compañía que habíamos subcontratado. Después de la introducción inicial, y explicarles los pormenores del trabajo que ellos llevarían a cabo. Al, un hombre de cuerpo imponente preguntó muy casualmente cuánto tiempo tenía yo trabajando para la compañía T-Ford. "En unos días estaré arribando a mis veinte años de labor con ellos", le dije. Y como ya es costumbre, le empecé a contar un poco de mi testimonio, y cómo Dios me había levantado de una adicción crónica de heroína y cocaína. Después de unos minutos de testimonio, pude notar que los ojos de aquel hombre se llenaban de lágrimas. Esto ya lo había experimentado en situaciones anteriores con otras personas, pero aquella mañana había algo diferente en el ambiente. Cuando comencé a ver las lágrimas de aquel hombre rodar por sus mejillas, dejé de hablar mientras sentía que había tocado algo muy profundo en él.

Al estrechó su gigantesca mano la cual estaba llena con callos que se habían formado en ella por los años en la línea de trabajo en que se encontraba, y que se asemejaba la mano de un oso. De manera sutil como si aquella gigantesca mano estuviera echa de seda, tomó mi pequeña mano en la suya, y mirándome a los ojos, los suyos llenos de lágrimas, dijo: "Rubén no tienes la menor idea de lo que acabas de hacer por mí en esta mañana. Soy el padre de cinco; dos hembras y tres varones. Dos de mis varones son adictos a la heroína. Esta tarde cuando llegue a la casa tendré que tomar uno de ellos el cual es buscado por las autoridades, y entregarlo a la policía para que sea procesado por crímenes que ha cometido. Algunos de los crímenes son bastante serios, y las posibilidades a cumplir una larga sentencia son bastante altas. No sé cómo voy a convencer mi corazón para entregar a mi hijo a las autoridades", me dijo mientras sus lágrimas seguían su curso. Después de una breve pausa prosiguió: "Sin embargo, hoy con tu testimonio traes esperanza a mi vida, de que algún día también mis hijos puedan ser liberados de la adicción como tú lo has sido". Para este entonces ya mis ojos también estaban llenos de lágrimas; podía sentir el dolor que aquel hombre, el cual nunca había visto tenía en su corazón, y me recordó el dolor que causé a mi madre durante varias décadas. Antes que pudiera reaccionar a lo que acontecía, Al todavía con mi mano perdida en la de él, se giró hacia su compañero y dijo: "¡¡¡¡¡Russ!!!!! Anda, dile tu historia, dile lo que aconteció contigo". En ese momento giré mis ojos y encontrándome con los de aquel otro hombre, me di cuenta de que lo que allí sucedía era una manifestación Divina. Russ era mucho más pequeño en estatura que Al. Russ un hombre de ascendencia irlandesa, pelo rojizo y de barba también roja y algo desorganizada, estaba allí parado... inerte como si le acabasen de haber removido el espíritu. "Anda, cuéntale tu historia", escuché nuevamente a Al decir. Más fue inútil... Russ estaba completamente incapacitado para verbalizar lo que sentía en aquel momento. Los ojos de Russ explotaron por la presión de las lágrimas que inútilmente trataba de contener, aquella presión también causaba aquel color rojo en su rostro.

Al, todavía con mi mano en la de él, como si en ella encontrara refugio a la situación que lo aturdía, se tomó la libertad de hablar por su amigo... con su voz entrecortada dijo: "Hace solo unos meses el acaba de enterrar su hija de 23 años a causa de una sobredosis de heroína. Ahora pelea la custodia de una niña de nueve meses que su hija dejó, y que está a la custodia de su padre el que también es adicto a la heroína". Ahora era yo el que sentía que mi alma había sido arrancada de mí... El testimonio de aquellos hombres sacudió lo más profundo de mi corazón y pude sentir su dolor, algo así como cuando el doctor nos dio la noticia a mi hija y a mí, sobre el estado de Jordan en el vientre 15 años antes.

No me di cuenta en qué momento sucedió, pero cuando me percate estaba dándole un fuerte abrazo a Ross, y seguidamente también abrase a Al. Después de secar nuestras lágrimas nos despedimos por ese día.

En los próximos días, Al y Ross comenzaron sus labores en el proyecto. Su compañía tendría que suplirnos 1600 yardas de concreto, lo que aseguraba íbamos a estar trabajando juntos por las próximas tres o cuatro semanas. Este tiempo nos permitió profundizar más, y siempre que tomábamos un descanso, o teníamos la oportunidad, ellos me daban más detalles de sus situaciones, y yo les seguía dando mi testimonio lo más que podía. En las próximas semanas no sé cuántas veces escuché, ya fuera de parte de Al, o de Ross la misma sugerencia: "¿Por qué no escribes tu historia?", me decían una y otra vez después que les relataba cualquiera de los episodios de mi vida en adicción. "Es posible que con tu historia puedas traer solvencia a la vida de otros, que han perdido la Fe a través de sus adicciones". "Sí, sí. tal vez algún día", les decía como lo había dicho tantas veces en el pasado, a otros que también trataron de estimularme a escribir. Aunque ellos eran muy persistentes en su sugerencia yo no me motivaba a hacerlo.

Durante esos mismos días, por ser yo el representante de T-Ford en el proyecto, tenía que reunirme una o dos veces por semana con el representante del departamento de agua potable de la ciudad de Brighton quien era el cliente, y él estaba a cargo de monitorear el progreso del proyecto. John era un hombre de poca estatura, y de muy buen carácter. Mientras caminaba con él por el proyecto enseñándole los progresos logrados, también fuimos aclimatándonos de una manera amistosa. Pronto me encontré dándole parte de mi testimonio a John. Él quedaba muy impresionado con mi historia, y me alagaba no solo por la calidad de trabajo que le rendíamos en el proyecto, sino también porque aun después de todas las adversidades que viví me encontraba en la posición que estaba. Siempre que terminábamos nuestra reunión, John me daba un fuerte apretón de mano mientras me decía: "Wao, de verdad que tienes una historia bastante peculiar me alegro por ti de que te pudiste superar".

En una ocasión, ya cuando faltaba poco para terminar el proyecto, cuando estreché mi mano para despedirnos como era costumbre, John me sorprendió dándome un abrazo mientras susurraba a mi oído: "Deberías considerar escribir tu historia... Eres un milagro".

Esa tarde cuando llegué a la casa, me senté, tome un bolígrafo, una hoja de papel y en eso miré hacia arriba y le pregunté a Dios qué quería que escribiera. No había terminado la pregunta cuando mi mente voló en el tiempo, y me remontó a el patio de mi casa, cuando tenía 11 años y sostenía en mi mano aquella mariposa de un ala. Casi de forma automática y sin mi control, escribí el título de esta historia. No había terminado de escribir el título bien, cuando mi mente voló una vez más a el año 1963 cuando encontré a mi madre llorando en la cocina y comencé a escribir.

Por los próximos cuatro meses era inevitable llegar a la casa y no ponerme a escribir. Para el mes de agosto, y ya con unas 35,000 mil palabras de historia tuve una experiencia que casi me hace abortar esta historia. A las 5:30 de la mañana mientras me encontraba manejando en la ruta 128 en dirección a mi trabajo, sentí o, mejor dicho, escuché una voz que me decía: "No sé por qué te afanas tanto en escribir esa historia... Esa historia no es tan importante". Inmediatamente reconocí aquella voz, era la misma voz que había escuchado en el pasado cuando me administraba fuertes dosis de cocaína por tiempos prolongados... era la misma voz que escuché aquella fatídica noche cuando entré al cuarto de Glenda en el 1989.

Aquello me perturbó de manera total. No podía entender por qué si me encontraba tan entusiasmado con el proyecto, aquella voz me dijo eso. Finalmente llegué al lugar donde me tocaba trabajar ese día. Durante las próximas siete horas en lo único que podía pensar, era en las palabras que había escuchado aquella mañana. Una y otra vez aquellas palabras retumbaban en mi mente contristando así mi espíritu.

Alrededor de las tres de la tarde, ya con solo media hora para terminar la jornada aquel día, mi jefe Tom me pidió que desarmara un equipo que ya no estábamos usando como ultima tarea del día. Tan pronto me puse a desarmar el equipo, percibí que algo se había caído al piso, pero no podía ver dónde cayó. Me puse a mirar más detenidamente... y de momento allí estaba... no podía creer lo que mis ojos miraban. Allí frente a mí había una crisálida la cual inmediatamente reconocí, como una crisálida de una mariposa monarca. No tenía duda de ello. Rápidamente recordé que unas semanas antes había visto varias mariposas monarca desplazándose sobre un área cerca de donde estaba el equipo, y en aquella área había una mancha de Milk Weed, o mata de leche que es donde las mariposas monarcas depositan sus huevos.

Sin pensarlo dos veces recogí la crisálida. Mientras la admiraba en la palma de mi mano... sentí, o escuché otra voz. Pero esta voz era muy diferente a la voz de aquella mañana. Aquella voz me dijo: "Pero yo quiero que escribas la historia... Ésta no es tu historia, esta historia la deposité Yo en tu corazón cuando te formé en el vientre de tu madre". Mis ojos se humedecieron y no tardaron mucho en parir cuantiosas lágrimas de alegría. En ese instante me sentí como un niño cuando encuentra algo que valoraba y el cual hacía mucho había perdido.

Acto seguido me dirigí a mi vehículo de trabajo para dejar allí la crisálida. Aunque no sabía si la crisálida estaba viva ya que para este tiempo las temperaturas bajaban bastante por las noches, no podía dejarla en el piso pues por experiencia sabía que de estar viva, la mariposa no se desarrollaría normalmente. Una vez llegué a mi vehículo comencé a buscar con qué podía amarrarla para que guindara verticalmente. Mirando al retrovisor del vehículo vi allí tres mariposas plásticas que Tatiana había pegado en un hilo de pescar. Tatiana había leído parte de lo que yo estaba escribiendo, y para este entonces, estaba muy emocionada con mis escritos, y me regaló aquellas mariposas que las representaban a ella, su mamá Angie y su hermana Glenda. Corté un pedazo de hilo de pescar, y de la misma manera que hice cuando tenía once años con la crisálida de donde emergió la mariposa de un ala, con el hilo de pescar amarré la crisálida y la guindé del retrovisor. Seguidamente le saqué un video con un mensaje, y se lo envié a Tatiana. Ella solo me respondió con un: "¡WAO PA es preciosa!"

Esa tarde mientras manejaba a la casa no podía quitarle los ojos a la crisálida. Yo un hombre de 61 años, me sentía como un niño con un juguete nuevo. Una vez llegué a la casa busqué un lugar entre mis plantas de la sala, y allí guindé mi preciada crisálida. Más tarde esa noche en la cama meditaba sobre lo acontecido en aquel día, y me preguntaba si las voces que había escuchado eran reales... o era que me estaba volviendo loco... entonces fue que me di cuenta de algo que me dejó atónito. Hacía cincuenta años desde la última vez que había visto una crisálida... hacia cincuenta años desde que había sostenido una crisálida en mi mano. La paz que este desertar trajo a mí, afirmó en mi corazón que lo que había experimentado, había sido una revelación Divina.

La mañana siguiente, una vez abrí los ojos, en lo primero que pensé fue en la crisálida. Fui donde la había guindado... y rápidamente pude notar que la crisálida estaba viva, porque, aunque el día anterior su color era verde esmeralda ahora tenía una apariencia transparente, e inclusive, podía ver los colores de la mariposa a través de la fina capa, la cual todavía la mantenía prisionera en su ahora transparente crisálida. Quisiera, pero no puedo describir lo que sentí cuando me di cuenta de que la crisálida todavía estaba viva.

El tercer día de haber traído la crisálida a la casa, lo primero que hice al levantarme fue una vez más ir a verla... mi corazón saltó fuerte en mi pecho, cuando vi la hermosa mariposa que de ella había emergido. Fue de nuevo como regresar a la niñez... en ese momento amé a aquella hermosa mariposa, así como amé a todas las que vi nacer de niño.

CIERRE

TE DOY GRACIAS, Dios. Por tu misericordia conmigo, por todas las bendiciones que has vertido en mi vida. Por haber escuchado las oraciones de mi madre. Por permitirme ser parte de la vida de Tatiana, Jordan, Glenda, Angie... y por todas las mariposas que has dejado regresar a lo que antes fuera el pantanal de mi vida, y que Tú lo has convertido en el más hermoso jardín. Te doy gracias por todo.

¡Madres, nunca dejen de orar por sus hijos! Nunca pierdan la fe que Dios pondrá su mano sanadora sobre su frente, y hará el milagro... los sacará de sus crisálidas, abrirá sus alas, ¡y volarán hacia la eternidad! Pero para que todo esto suceda, debemos tener Fe.

SOBRE EL AUTOR

HOLA, ME LLAMO Rubén y soy adicto en recuperación. También soy el autor del mismo libro que tienes en tus manos. Nací en Jayuya, un pequeño pueblo en la hermosa isla de Puerto Rico. Un niño tímido y sensible al que le encantaba jugar afuera, pero mi verdadera pasión era ver a las orugas convertirse en mariposas.

De alguna manera, a medida que crecía, perdí el rumbo y no pude encontrarlo de nuevo. Me encontré adicto al alcohol, y a la marihuana, pero mi verdadera pasión y obsesión eran la heroína y la cocaína. Me tuvieron atrapado en una red de mentiras de las que no podía o no quería escapar durante más de 20 años. Le mentí, robé y lastimé a las personas que más amaba para poder conseguir algo de droga.

A pesar de que estuve perdido por mucho tiempo, estoy MUY agradecido por que mi familia NUNCA se dio por vencida conmigo. Estoy especialmente agradecido con mi madre, Doña Blanca Oliveras, por ser una mujer de fe que oró por mí cuando otros no creían que Dios podría hacer el milagro de liberarme de mi prisión. Algunos podrían decir que ella con sus oraciones me ayudo a llegar a la sobriedad y ¿sabes qué? Tengo que estar de acuerdo con ese sentimiento.

Han pasado más de 20 años desde que usé drogas o alcohol por última vez, y mi vida ha mejorado BASTANTE ya que las drogas y el alcohol ya no son parte de mi vida. Ahora paso parte de mi tiempo libre dando charlas en grupos de apoyo, conduciendo adictos a reuniones/centros de rehabilitación y compartiendo mi trayectoria a la recuperación y sobriedad con todo el que me escuche. Este libro es mi forma de ayudar a las familias y seres queridos de los adictos. El libro que habría ayudado a mi familia cuando yo estaba perdido.

El resto del tiempo libre lo paso disfrutando las relaciones restauradas con mis hijas, Tatiana y Glenda, mis cuatro nietos, y con Angie, una de las mariposas que NUNCA me abandonó y siempre me apoyó.

RECURSOS PARA ADICTOS Y ADICTOS EN RECUPERACIÓN

AA https://www.aa.org/
Narcotics Anonymous https://www.na.org/
Al-anon https://al-anon.org/
AA Serenidad en Cambridge
AA Milagros San Francisco
AA Hispano Americano
Proyecto Atlas - Boston
Nuevos Comienzos
Tiempos de Cambios -faith based support group
AA Concepcion
https://aaboston.org/wp-content/uploads/2018/09/spanish-meetings.pdf
https://nerna.org/
Great Place to Find Local Information: https://bit.ly/alanon-local

MARIPOSAS EN MI VIDA

Made in the USA
Coppell, TX
13 August 2020